Madame la présidente

Des mêmes auteures

Ava Djamshidi

Coupable d'avoir été violée. Femmes en Tunisie : liberté en péril (en collaboration avec Meriem Ben Mohamed), Michel Lafon, 2013 (repris sous le titre *La Belle et la Meute* en 2017 chez le même éditeur).

Nathalie Schuck

Coups pour coups : les petits secrets et grandes manœuvres du duel Hollande-Sarkozy (avec Nicolas Barotte), Éditions du Moment, 2012.

Ça reste entre nous, hein ? Deux ans de confidences de Nicolas Sarkozy (avec Frédéric Gerschel), Flammarion, 2014.

Ava Djamshidi
Nathalie Schuck

Madame la présidente

PLON
www.plon.fr

12, avenue d'Italie
75013 Paris
Tel : 01 44 16 09 00
Fax : 01 44 16 09 01
www.plon.fr
www.lisez.com

Mise en pages : Graphic Hainaut
Dépôt légal : janvier 2019
ISBN : 978-2-259-27650-4

Prologue

La nuit est tombée sur l'Élysée. Quelques bureaux sont encore éclairés, seul signe visible de la grave secousse gouvernementale qui ébranle le pays, aux premiers jours d'octobre 2018. Depuis une semaine, la France, en état d'alerte attentat depuis les attaques terroristes de 2015, n'a plus de ministre de l'Intérieur. Gérard Collomb a claqué la porte avec fracas. Le président et le Premier ministre échouent à s'entendre sur son successeur. Le matin même, ils se sont vus longuement, sans parvenir à se mettre d'accord. Ils tergiversent, hésitent à procéder à un bouleversement plus large, peinent à convaincre de nouvelles recrues de rejoindre cette équipe démonétisée. Un voile de crise nimbe le pouvoir. Annoncé dans la soirée, imminent, le remaniement tant attendu n'a pas eu lieu. Que se passe-t-il en coulisses ? À bout de nerfs, les chaînes d'information en continu enchaînent les émissions « spéciales ». Les ministres menacés de voir leur tête tomber attendent le verdict, résignés.

Sur le perron du Palais, une silhouette se détache à peine, dans l'obscurité. Brigitte Macron apparaît, tout de noir vêtue, juchée sur de hauts talons, au bras de son mari. Serré contre lui, le président tient précieusement un dossier bleu roi. Contient-il la liste des potentiels entrants au sein du futur gouvernement ?

Le couple s'engouffre dans une berline. Escortés par des motards, ils filent à vive allure dans les rues de la capitale. Personne n'a vent de l'escapade.

Quelques instants plus tard, à une poignée de kilomètres, le cortège du Premier ministre s'élance à son tour en direction du nord-est de Paris. Cela fait une semaine qu'il a été propulsé « premier flic de France » par intérim, et cumule les deux casquettes. Après une journée éreintante à honorer ses obligations de chef du gouvernement, Édouard Philippe a rendez-vous pour une patrouille de nuit avec les équipes de la brigade anticriminalité (BAC) du 19e arrondissement. Les traits tirés, la voix enjouée mais un peu lasse, il demande aux agents au garde-à-vous comment ils tiennent le coup. « Une bonne crème et un bon sommeil ! », lui répond une policière. À Matignon, son équipe communique abondamment sur cette visite surprise dans les quartiers sensibles où sévissent les dealers de crack. Il s'agit de montrer aux Français qu'il y a un capitaine à la barre, que tout est sous contrôle.

De l'autre côté de la Seine, derrière la haie feuillue d'une terrasse, les habitués de Da Rosa, cantine chic du 6e arrondissement, ouvrent grand les yeux. Main dans la main, Brigitte et Emmanuel Macron franchissent la devanture noire et or, accompagnés de leurs officiers de sécurité. Ils ont fini le trajet à pied, comme ils aiment à le faire. Ils ne s'attardent pas au rez-de-chaussée, passent rapidement devant le comptoir. Vite, ils empruntent l'escalier de fer forgé et rejoignent le premier étage – privatisé pour l'occasion –, pressés de se retrouver.

Ils prennent place autour d'une table ronde vernie, sur des sièges de velours rouge. Au coeur de Saint-Germain-des-Prés, à la lueur des bougies, le président « débriefe » avec sa femme. Elle ne décolère pas de la mauvaise manière de Gérard Collomb. Elle a son avis, bien sûr, sur le grand chassé-croisé gouvernemental qui se prépare. Elle voudrait tant que son époux sorte de l'impasse dans laquelle il est bloqué depuis cet été sinistre qui les a vus tous deux percutés par l'affaire Benalla.

Comment pourrait-il ne pas sonder celle qui fut une partenaire si précieuse dans la conquête du pouvoir ? Pour tous ceux qui l'imaginent en train de phosphorer avec son armada de collaborateurs, reclus à l'Élysée, la scène est difficilement concevable. Ce soir, il leur a préféré la première dame. Là, entre deux bouchées de charcuterie espagnole, il revisite les affaires du pays comme le ferait un chef de l'État avec ses stratèges par temps d'orage.

Tandis que la soirée s'éternise, ce message apparaît sur son compte Twitter, pour donner le change : « Il y a trente-sept ans, la peine de mort était abolie en France grâce à la ténacité de François Mitterrand et à la détermination de son garde des Sceaux, Robert Badinter. Cette décision a placé la France à la hauteur de sa promesse humaniste et honore notre pays aujourd'hui encore. » Cela fait deux heures que les Macron sont à table. Le président est toujours au premier étage. Et il n'a toujours pas de gouvernement.

*

À l'Élysée, côté pile, elle est une première dame soucieuse de bien faire, investie dans ses missions, qu'il s'agisse de représenter au mieux la France à l'étranger ou de se rendre au chevet de ses compatriotes qui lui écrivent. Côté face, à l'abri des regards indiscrets, loin de son image très lisse, elle est une singulière conseillère spéciale dont le cabinet présidentiel cherche méthodiquement à minorer le poids. C'est avec elle pourtant que le président teste nombre de ses idées. Elle est la seule à oser lui parler si franchement, à avoir le dernier mot sur l'agenda. Tout sauf un « pot de fleurs », comme elle dit elle-même, Brigitte Macron est la coéquipière du chef de l'État, sa confidente, son sparring-partner. Bien plus politique qu'il n'y paraît, elle le chapitre sans ménagement lorsqu'un déplacement est raté, un discours laborieux, qu'une intervention télévisée laisse à désirer, que son autorité s'érode. Quel est donc son réel pouvoir, son véritable rôle à ses côtés ?

L'Élysée est un coffre-fort difficile à percer. De nombreux témoins privilégiés nous ont aidées à comprendre. La première dame a aussi accepté de nous raconter comment l'on passe en trois années de l'anonymat d'une salle de classe à la lumière de dîners d'État avec les dirigeants de la planète. Durant ces mois d'enquête, les quelque soixante-dix entretiens que nous avons menés auprès d'élus, ministres actuels et anciens, intimes, conseillers et artistes qui l'ont tous côtoyée, nous ont permis de lever ses mystères, de découvrir son quotidien au Palais et de mesurer précisément son influence.

Les Français ne s'y sont pas trompés. Ils ont tôt fait de discerner son poids politique.

Fin août 2017, des dizaines de passants attendent la nouvelle première dame, en visite officielle en Autriche avec son époux, devant la maison natale de Mozart qu'elle s'apprête à visiter. Une silhouette corail apparaît. Quelques applaudissements retentissent, des sourires l'escortent, des encouragements fusent. Une effervescence à mille lieues des invectives qu'elle essuiera, quinze mois plus tard, lors du soulèvement des « gilets jaunes », qui la comparent sur les ronds-points de France à « l'Autrichienne », Marie-Antoinette. Elle n'imagine pas la violence, les outrances, la brutalité qui l'attendent. La descente aux enfers dans les sondages. La peur, aussi, pour sa famille, pour son mari. C'est encore l'heure du macronisme triomphant, loin des crises gouvernementales et des scandales d'État.

Dans la foule de Salzbourg, un touriste français la hèle : « Bonjour, Madame la présidente ! » C'est la première fois qu'on l'appelle ainsi, ce ne sera pas la dernière. Un peu surprise, Brigitte Macron se retourne et lui offre un sourire complice. Elle se garde bien de le reprendre. Le titre lui va comme un gant.

PREMIÈRE PARTIE

Premiers pas

1

Jamais sans Brigitte !

Les péniches, en contrebas, descendent paisiblement la Seine. Elles longent, au loin, les tours de Notre-Dame. De leur duplex du sixième étage de Bercy, magistrale cathédrale de verre qui semble défier les cieux, les Macron ont une vue plongeante sur Paris. Derrière les façades vitrées, l'Élysée reste hors champ. En ce jour de printemps 2016, une poignée de conjurés a rendez-vous pour préparer dans le plus grand secret le lancement du nouveau parti du jeune ministre de l'Économie, En Marche !, conçu pour s'emparer du Palais. Dans la salle à manger, au milieu des meubles un brin vintage griffés Philippe Starck, une table est dressée avec stylos et bouteilles d'eau pour un après-midi de travail. Chacun cherche sa place, joue des coudes pour s'asseoir au plus près du futur candidat. Mais un fauteuil, à sa droite, leur est ostensiblement interdit. Privatisé, pour elle. En arrivant, Emmanuel Macron pose immédiatement sa veste sur le dossier du siège. Signifiant, par ce simple geste, le poids politique de son épouse. Le « boss » donne tout de suite le ton :

il va falloir s'habituer à elle et composer avec. Au fil de la réunion, les convives, soutiens politiques de la première heure, élus socialistes pour la plupart, découvrent non sans surprise qu'elle est au courant de tout, du moindre ralliement, du niveau exact des collectes de dons. « Madame Macron », comme ils l'appellent encore, reçoit toutes les notes stratégiques des conseillers qui entourent son mari.

De Brigitte Macron en campagne, on garde l'image d'une femme effacée, discrète, affable. Présence fantomatique dans le sillage du candidat. Toujours assise au premier rang de ses meetings, avec son carnet et un stylo à la main, répétitrice muette et sourcilleuse de son époux, guère brillant à l'oral. En coulisses, elle est pourtant le pilier incontournable de sa conquête de l'Élysée. « La phrase que j'ai le plus entendue du président pendant la campagne, c'est : “Où est Brigitte ?” Il la cherchait tout le temps », se souvient Marlène Schiappa, fidèle de la première heure devenue membre du gouvernement. Après chaque réunion publique, une fois les spots éteints et le rideau fermé, c'est avec son épouse qu'il vient débriefer, comme à la grande époque de leur rencontre, quand elle était sa professeure de théâtre. Loin des regards indiscrets, l'épouse est un coach particulièrement intraitable pour le futur chef de l'État.

« Ce n'est pas comme ça que tu vas devenir président ! »

Combien de fois l'équipe de campagne l'a-t-elle entendue pester, impatiente, parce qu'un discours n'en finissait pas ? « Mais qu'il arrête de parler des territoires, ça fait techno », fulmine-t-elle. Souvent, elle voit rouge lorsqu'il papillonne avec ses fans après un meeting, lui qui adore aller au contact. « Ça suffit, je me barre ! » Ou encore : « Il faut aller se coucher là, demain tu te lèves à 4 h 45. » Lui, véritable robot, saute souvent le déjeuner. Elle, rangée, aime les horaires réguliers, les repas à heure fixe, les coupures, une vie cadrée. D'un regard, elle le ramène sur terre. « Elle n'est pas une groupie. Elle l'encourage, mais c'est surtout la première à le critiquer », sourit le producteur Jean-Marc Dumontet, qui a été de quasiment toutes les réunions publiques, toujours assis à ses côtés. « Ce qui est intéressant en meeting, c'est sa tête à elle. Elle le regarde sévèrement. Elle trouve toujours qu'il est trop long. Elle lui envoie des éclairs par le regard. Je l'ai entendue dire : "J'en ai marre, il va encore parler deux heures" », glisse Marlène Schiappa. Un ami du couple a même reçu un jour ce coup de fil excédé de Brigitte Macron, inquiète que son mari, un peu trop chien fou, n'explose en vol : « Aide-moi à le calmer, j'ai l'impression de vivre avec Jeanne d'Arc ! »

Le premier cercle macroniste garde un souvenir cuisant d'une réunion à huis clos, restée secrète jusqu'ici, convoquée en urgence au quartier général de la rue de l'Abbé-Groult, dans le sud de Paris, au moment le plus critique de la campagne. Le 14 février 2017, Emmanuel Macron, coutumier des sorties au canon et petites provocations, a lourdement dérapé en qualifiant la colonisation française en Algérie de « crime contre l'humanité » et de « barbarie ». Circulez, il n'y a rien à voir, relativisent officiellement ses communicants, qui savent pourtant que la polémique peut les balayer. Sur les écrans du QG, l'affaire tourne en boucle sur BFM TV. Les regards sont fiévreux. Sidérés, certains murmurent : « Ça y est, on a perdu la présidentielle… » Dans un bureau, le candidat se creuse les méninges pour trouver une sortie de crise avec son comité politique. Personne n'ose affronter le patron, ni lui dire qu'il a commis une terrible erreur qui risque de lui coûter cher. Soudain, Brigitte Macron entre dans la pièce et tempête : « Mais qu'est-ce que tu as été dire comme connerie ? Ce n'est pas comme ça que tu vas devenir président de la République ! » Silence stupéfait dans la salle. Personne ne s'aventure à interrompre l'épouse, encore moins à la contredire. Un parlementaire raconte : « Le petit père Macron alternait entre regarder la pointe de ses chaussures et répondre : “On ne me parle pas comme ça.” Il ne se laissait pas faire, lui résistait. Les présents priaient pour que ça s'arrête, gênés d'assister à ce qui relevait d'une scène privée. C'était une fessée en public. Le savon du siècle. Tous savaient qu'il avait fait une connerie. Elle était la seule à oser le lui dire. »

Elle qui n'a jamais été élue au suffrage universel s'est vite acoquinée avec la petite bande d'élus qui a rejoint son mari, Gérard Collomb et Richard Ferrand en tête, ses favoris. Parfois, elle croise aussi François Bayrou, qui habite l'immeuble en face du leur, rue Cler, non loin de la tour Eiffel, dans le prestigieux 7e arrondissement de la capitale. En quittant Bercy, les Macron y ont pris un petit appartement avec une jolie terrasse, le temps de la campagne, où ils ont entassé leurs cartons. Parfois, le patron du MoDem traverse la rue pour prendre le petit déjeuner avec le candidat et poser les conditions de son ralliement. Brigitte Macron l'accueille, mais elle ne reste pas. « Ils habitaient en face, de l'autre côté de la rue. C'est assez drôle, on en parle souvent avec nostalgie et affection », se remémore le centriste.

Parfois, la future première dame décroche son téléphone pour jouer les messagères officieuses auprès d'une équipe rivale. La garde rapprochée de François Fillon en fait la surprenante expérience en plein « Penelopegate ». Anne Méaux, stratège de la communication du candidat des Républicains et patronne de la puissante société Image 7, se retrouve empêtrée dans la tourmente. Agacée, elle décide de hisser le drapeau blanc en faisant passer de discrets messages au camp Macron. La paranoïa bat son plein autour du champion des Républicains, où l'on accuse un jour le clan Sarkozy d'être à l'origine des révélations du *Canard enchaîné*, et le lendemain le secrétaire général de l'Élysée Jean-Pierre Jouyet, proche de François Hollande, soupçonné de rouler pour… Emmanuel Macron. Anne Méaux décide d'appeler Brigitte Macron pour en avoir le cœur net. Les deux femmes, sans être de proches amies, se connaissent bien. Elles ont de l'estime l'une pour l'autre, et partagent le même amour de la littérature et des langues anciennes. Elles ont chacune, cela rapproche, une maison au Touquet. C'est à Bercy, le 8 mars 2015, qu'elles ont fait connaissance. Ce jour-là, « la papesse de la com », comme on la surnomme, vient présenter au ministre de l'Économie son association Force Femmes qui promeut l'insertion professionnelle des travailleuses de plus de 45 ans. Brigitte Macron est présente, avec son mari. Les deux femmes sympathisent. Un peu plus d'un an après, lorsqu'elle est décorée du grade d'officier de la Légion d'honneur des mains du milliardaire François Pinault, Anne Méaux glisse le nom de l'épouse du ministre sur la liste très restreinte des célébrités conviées, au milieu de la fine fleur de la finance et de la politique : Valéry Giscard d'Estaing, François Baroin, Bernard Cazeneuve, Jean-Pierre Jouyet ou Grégoire Chertok, associé-gérant de la banque Rothschild. Quand elle décide d'épauler François Fillon pour sa campagne présidentielle, elle prend donc soin d'en informer l'épouse de son rival. Lorsque les coups se mettent à pleuvoir, les deux femmes se reparlent pour calmer le jeu, sans que personne ne le sache. Ou presque. Un jour qu'ils sont en réunion dans leur immense QG de 2500 mètres carrés de la rue Firmin-Gillot, à deux pas de la porte de Versailles, dans le sud de Paris, les stratèges du candidat Fillon – absent ce jour-là – ont une drôle de surprise. Posé sur la table, le portable d'Anne Méaux se met à sonner. Éberlués, les élus présents voient s'afficher sur l'écran le nom de Brigitte Macron ! Ils l'entendent lui tenir à peu près ce langage : « Emmanuel et moi n'y sommes pour rien, Anne, je te le jure. »

Dans un registre plus cocasse, elle surveille la ligne de son mari, gourmand. Quelques jours après le premier tour, le candidat et son équipe font escale à Besançon, où le chef étoilé Thierry Marx, qui l'a rallié, possède une école de formation et un restaurant. « Emmanuel n'avait pas été très bon. Il n'avait pas mangé. Il était prévu qu'on bouffe chez Marx », raconte Christophe Castaner. L'équipe se régale d'avance à l'idée du festin. Raté ! Le patron décide de quitter la ville et de faire un arrêt rapide dans un restaurant Courtepaille. Sans se priver pour autant... « Le nombre de Courtepaille qu'on s'est enfilés. Brigitte n'était pas là, alors il a pris l'option frites ! », glousse Castaner. Le lendemain, tous se retrouvent à dîner. L'épouse du candidat est là, cette fois. Au moment de commander, Macron file doux : « Ce sera une petite salade pour moi. Le soir, avec Brigitte, on mange léger. »

« La politique, ce n'est pas ma vie »

Déjà, l'épouse pressent que cette vie qui l'attend ne lui fera pas de cadeau. Il lui faudra combattre bien des jalousies. Cette forte tête n'entend pas qu'on lui dicte sa conduite. D'imprudents Marcheurs en ont fait l'amère expérience. Fin mars 2017, la caravane du candidat débarque à Marseille, sa ville fétiche. Brigitte Macron est arrivée un peu plus tôt dans l'après-midi pour visiter, sans la presse, les quartiers nord. Elle veut voir de ses yeux les conditions de vie des enfants de ces cités sensibles. Le soir venu, tous se retrouvent pour dîner à la table du Sofitel. Assis à côté d'Emmanuel Macron, le producteur Jean-Marc Dumontet lui souffle des formules du cru pour son meeting du lendemain : « N'oublie pas de parler d'IAM et du match de l'OM en Ligue des champions en 1993… » Macron, avec l'air de celui qui prépare un coup pendable, leur confie la surprise qu'il mijote : une rencontre devant les caméras avec le Républicain Christian Estrosi. Brigitte Macron les rejoint vers 22 heures et leur raconte sa journée. Colère d'un membre de la tablée : « Il ne fallait surtout pas aller dans ces quartiers, c'est très mauvais pour nous ! » Furieuse, elle prend la mouche illico : « Mais je n'en ai rien à fiche ! Je ne suis pas en campagne, moi ! Je ne veux pas rentrer dans des trucs politicards. Je voulais juste voir les piscines municipales, c'est le seul lieu de sortie pour les gamins. Personne ne va me dire ce que je dois faire. La politique, ce n'est pas ma vie. » Ceux qui auront le culot de lui suggérer comment se comporter une fois son mari élu président se feront également recevoir. « J'en ai marre qu'on me dicte quelle cause je dois soutenir. Je n'ai pas besoin qu'on me dise quelle première dame je dois être. Je fais ce que je veux. »

Sa pire angoisse de la campagne reste le débat télévisé face à Marine Le Pen, entre les deux tours. Très stressée, elle redoute, comme toute l'équipe Macron, que la candidate du Front national tape sous la ceinture. « On l'a oublié, on croit aujourd'hui que c'était un truc facile, mais tout le monde craignait que Marine Le Pen n'attaque pas sur le plan intellectuel, qu'elle abaisse le niveau du débat », se remémore Gérard Collomb. Dans les petits salons où la garde rapprochée suit les échanges féroces entre les deux finalistes de la présidentielle, Brigitte Macron fait les cent pas. Le coup bas tant redouté arrive. Alors qu'Emmanuel Macron contredit sèchement sa rivale sur le terrain économique, celle-ci, narquoise, lui lance une allusion limpide à sa relation avec son ancienne prof : « Vous cherchez à jouer avec moi à l'élève et au professeur, mais en ce qui me concerne ce n'est pas particulièrement mon truc... » Brigitte Macron encaisse. Elle trouve du réconfort auprès des membres de l'équipe qu'elle apprécie, se pelotonnant contre eux sur les canapés, en un geste presque enfantin. Le duel fini, Macron file en loges pour le débrief, ravi de sa prestation. Elle retrouve ses réflexes et le houspille parce qu'il réclame des sucreries et des chocolats. « Ah non, je ne veux pas que tu manges des saloperies ! Tu vas dîner correctement.
— Oh ben merde, répond, penaud, le candidat. Bon alors d'accord, donnez-moi de l'eau. »

De trop sur la photo ?

La cacher ou non : le dilemme devient rapidement source de tensions dans le premier cercle macroniste. Mais comment expliquer au chef que sa femme est peut-être de trop ? Il s'amuse tant de la voir devenue la coqueluche de la presse people. À la rentrée 2016, il s'esclaffe devant les siens en découvrant un article du magazine *Closer* racontant par le menu le relooking de son épouse par Delphine Arnault, fille du milliardaire Bernard Arnault, qui détient la maison Vuitton. « Je ne comprends pas pourquoi personne n'évoque mon relooking à moi ! » Le sujet fait nettement moins rire son entourage, qui décide de crever l'abcès lorsque le couple fait sa troisième couverture de *Paris Match* en novembre 2016. C'est Christophe Castaner qui se dévoue. L'ex-socialiste se jette à l'eau : « Emmanuel, est-ce que ce n'est pas un peu *too much* ? — Pas du tout, tu te trompes », rétorque le candidat. Et tous les autres de se dérober, opinant du chef avec le patron…

Le futur ministre n'est pas le seul à mettre Emmanuel Macron en garde contre les excès de la peopolisation. Plusieurs de ses conseillers s'en inquiètent et l'alertent sur le risque : s'il expose trop son couple, les médias et ses adversaires n'auront de cesse d'essayer de le briser. D'autres mettent en avant ces enquêtes d'opinion où les Françaises interrogées expliquent que le presque quadragénaire, pourtant bien fait de sa personne, ne les fait pas vibrer. Dangereux électoralement. Jacques Chirac et

Nicolas Sarkozy étaient, eux, perçus en leur temps par une partie des électrices comme des sex-symbols. Fin 2016, un extrait d'une étude qualitative de l'institut Ipsos sur l'image présidentielle de Macron vient apporter de l'eau au moulin des détracteurs de la future première dame. « Les couvertures de *Paris Match* et la mise en avant de Brigitte Macron ne génèrent pas de réactions virulentes, mais l'accord se fait assez vite sur une plus grande discrétion médiatique quant à sa vie privée, et notamment la visibilité de sa famille », est-il écrit, en langage fort diplomatique. *Exit* Brigitte ?

Fier de son épouse, Emmanuel Macron ne veut pas en entendre parler. Il se refuse mordicus à la cacher. « C'est populaire ! », réplique-t-il à tous ceux qui lui conseillent de ne plus s'afficher à ses côtés. Il a compris que c'est grâce à elle et à leurs vingt-quatre ans d'écart qu'il a capté l'attention des Français. Marlène Schiappa rapporte cette anecdote, qui l'a frappée : « Pendant la campagne, une femme est venue me voir et m'a dit : “Tout va mal dans ma vie, mon mari vient de me quitter, et la seule chose qui me fait tenir, c'est Brigitte Macron, c'est une femme libre.” Je suis convaincue qu'elle a eu un impact électoral. Il n'y a pas un endroit où on ne m'ait pas parlé d'elle. Les gens l'appellent “Brigitte” ! Elle incarne quelque chose pour les femmes de toutes les générations. »

Le futur président est bravache. À quelques jours du premier tour, en visite dans les Pyrénées à Bagnères-de-Bigorre et La Mongie, station de ski qu'il affectionne, il surjoue les jolis cœurs, ne lâchant pas la main de son épouse et posant, tendrement lové contre elle, sur le télésiège. Sa campagne traverse un moment de flottement. Il a besoin de s'humaniser. Ce déplacement sur les terres de son enfance, à deux pas de la maison de « Manette », sa grand-mère disparue, l'autre femme de sa vie, est l'occasion idéale. « Tu vois, on t'en a fait des images ! », balance-t-il à un élu qui lui a suggéré de casser son image hautaine et technocrate en mettant en avant la dimension romanesque de son couple. Elle est loin d'être feinte. Le lendemain, 13 avril, c'est l'anniversaire de sa femme. Vers 22 heures, la petite troupe se retrouve pour dîner dans une brasserie de Toulouse. Malgré le rythme trépidant de la campagne et le stress de l'approche du verdict, il veut marquer le coup. Plus tôt, il a demandé à ses conseillers de se débrouiller pour trouver quelques bougies. Avant le repas, il s'éclipse même en cuisine pour demander aux chefs de préparer un gâteau.

Rumeurs

Qu'elle est brutale, cette campagne. Sexiste, aussi. Entre les moqueries sur son âge, les attaques sur son physique et les médisances sur la véracité de son couple, la future première dame a le sentiment de recevoir des gifles en pleine figure. « J'ai reçu des courriers, des coups de fil anonymes, nous confie

Brigitte Macron. Au début, j'ai écouté. J'ai lu. Je regardais. Mais ça ne sert à rien. Je n'ai pas de temps pour ça. Il ne faut pas aller sur les réseaux sociaux. C'est chronophage. Je ne lis rien d'anonyme[1]. » D'autant qu'elle a déjà fréquenté ce genre de corbeaux. Les cicatrices de ces blessures du passé sont encore vives. « Je ne découvre pas ça, je le reconnais », souffle-t-elle, en souvenir des lettres de menace et de chantage postées à ses parents au début de sa relation avec le jeune Macron, alors adolescent.

Pour se protéger, elle se réfugie dans sa famille, ses trois enfants issus de son premier mariage avec André-Louis Auzière – Sébastien, Laurence et Tiphaine – et ses sept petits-enfants chéris. Pour eux, elle a sacralisé un jour par semaine. Tous les mercredis, campagne présidentielle ou non, elle les garde. Les amis qui l'appellent ces jours-là sourient en entendant derrière elle les gamins barbotant dans leur bain. En fin de campagne pourtant, elle sature. Elle rêve que cela s'arrête. Les railleries sur leur différence d'âge la blessent. « C'était hyper-dur. Certains prenaient d'elle les photos les plus moches. Elle ne s'est jamais plainte. Elle n'a pas mérité ça, elle n'est pas une personnalité politique », la défend une amie. Face aux attaques, Brigitte Macron préfère jouer la carte de l'humour, une constante chez elle. Comme ce jour d'avril 2017, lorsqu'un homme l'interpelle dans la foule d'un meeting : « Madame Macron, il y a un dossier dont le candidat ne parle

1. Entretien avec les auteures au palais de l'Élysée, 20 juin 2018.

pas assez, c'est l'intergénérationnel ! » Et elle de se tourner en riant vers l'écrivain-entrepreneur Mathieu Laine, présent à ses côtés. « Tu en penses quoi, toi ? Il en connaît un rayon en intergénérationnel, Emmanuel, non ? »

« Elle s'en sort bien avec toutes les attaques qu'elle a subies sur son âge », salue la socialiste Ségolène Royal, qui sait ce que le mot « machisme » signifie. « Mais qui va garder les enfants ? », avait raillé son adversaire Laurent Fabius, lorsqu'elle s'était présentée à la présidentielle de 2007. L'ancienne candidate peut parler des rumeurs sur le couple Macron. Elle les a vécues en direct. Proche du jeune ambitieux, qu'elle envisage un temps de rallier, elle est très mal à l'aise en découvrant la une du magazine *VSD* en janvier 2017 : elle et Macron, complices, comme enlacés, lui penché vers elle murmurant à son oreille, avec ce titre équivoque : « Ça marche pour eux ! » « C'était très ambigu. Je n'ai pas réalisé que ça pouvait blesser Brigitte. Je me suis mise à sa place. Pour ça, vous savez, on n'a pas beaucoup d'humour », désapprouve l'ancienne ministre de l'Environnement, qui regrette de ne pas l'avoir appelée sur le coup.

Le plus agacé de tous, c'est Emmanuel Macron. Le candidat s'emporte publiquement à deux reprises. Chaque fois, sur sa vie privée, pour protéger sa femme. Lorsque Jean-Marie Le Pen l'accuse de ne pas être qualifié pour parler d'avenir parce qu'il n'a pas d'enfant, il se fait cinglant : « J'ai des enfants et des petits-enfants de cœur. » Plus tard, il surprend tout le monde en évoquant publiquement les rumeurs sur son homosexualité supposée, qui courent depuis des mois dans le Tout-Paris et au-delà. On lui prête de façon insistante une relation avec l'ancien patron de Radio France Mathieu Gallet. Démentir, n'est-ce pas faire davantage de publicité aux commérages ? C'est mal connaître la raison qui le pousse à s'exprimer. « Il trouvait ces rumeurs insupportables pour elle. Pas pour lui. C'est pour Brigitte qu'il les a démenties », révèle le producteur Jean-Marc Dumontet, qui met la salle de Bobino à sa disposition pour leur tordre le cou. Le 6 février 2017, sur la scène du théâtre parisien, le candidat se défend avec une ironie mordante. « Si on vous dit que j'ai une double vie avec Mathieu Gallet ou qui que ce soit d'autre, c'est mon hologramme qui soudain m'a échappé ! » Pour s'assurer que cela ne recommence plus, il tente de joindre Gallet pour le prier de nier publiquement. En vain. « J'ai laissé un message. Il ne m'a jamais rappelé », s'agace Macron. De là à penser que l'ancien P-DG de Radio France, révoqué depuis, a payé ce manque de correction…

Car les Macron ont de la mémoire. Ils ont gravé dans leur esprit une liste de personnalités qu'ils suspectent de s'être vantées de détenir de prétendues photos compromettantes et d'avoir véhiculé les pires bavardages. « Ils sont tricards ! Ils ont mis une fatwa sur leur tête », fulmine un pilier de la majorité macroniste. Un homme va notamment subir les foudres du futur président : Manuel Valls. Non qu'il lui reproche de l'avoir maltraité durant le quinquennat de François Hollande. Emmanuel Macron et ses proches sont convaincus, à tort ou à raison, qu'il a contribué à alimenter les rumeurs. Ils citent même une phrase, que l'ancien Premier ministre aurait prononcée : « Les Français ne sont pas prêts à élire un président qui a une double vie. » Ce que les vallsistes démentent avec la dernière énergie. Un proche de la première dame prévient, l'air mystérieux : « Un jour, elle dira les choses. »

« Dans quoi il m'a foutue ? »

Comment, dès lors, ne pas trembler à l'idée de ce qui l'attend si son mari est élu ? Dans la dernière ligne droite avant l'élection présidentielle, Brigitte Macron se réfugie dans une forme de déni et, comme toujours chez elle, dans l'autodérision. « Ça va être l'enfer », lance-t-elle en riant, soudain prise d'un vertige et terrifiée à l'idée de ne pas être à la hauteur. Richard Ferrand, très proche du couple, confie : « Je disais à Emmanuel : "Tu vas être président." Il n'aimait pas ça, par superstition. Il me répondait : "Travaillons !" Et quand je disais à Brigitte : "Prépare-toi, Emmanuel va être élu", elle me disait : "Mais ce n'est pas si simple !" Mais elle y avait réfléchi, elle savait parfaitement à quoi elle s'engageait. »

Lorsqu'elle réalise que son mari est élu, au soir de son sacre, la désormais première dame fait un grand V de la victoire. Assise sur les canapés du QG pour assister à la proclamation des résultats à 20 heures, elle voit s'afficher à l'écran le visage de celui qui est assis juste à côté d'elle. Comme sous le choc, il reste muet, transpercé d'émotions. Lui qu'elle a connu tout jeune homme devient président de la République. Elle songe à leurs parents, à sa vie, aux tornades qu'ils ont traversées. Elle fond en larmes. Le père du nouveau président, Jean-Michel Macron, et sa mère, Françoise Noguès, sont là. « Emmanuel réussit tout ce qu'il fait, la musique, le tennis... », s'enorgueillit cette dernière, avec une fierté toute maternelle. Macron, selon certains de ses amis, aurait laissé à son épouse le choix avant de se lancer à l'assaut de l'Élysée : « Si tu ne veux pas que j'y aille, je n'y vais pas. » Ceux qui la connaissent savent que jamais elle ne se serait mise en travers de sa route. Mais beaucoup l'ont entendue répéter cette phrase, à mi-chemin entre le rire et l'effroi : « Dans quoi il m'a foutue ? »

2

Toute seule…

Peu après l'élection présidentielle, Brigitte Macron flâne dans les allées du Bon Marché, le grand magasin chic et cher de la rive gauche parisienne. Elle ne s'en cache pas, elle aime faire les boutiques et achète aussi bien chez Sandro et Maje que des articles de luxe ou du prêt-à-porter. Pas question d'y renoncer ! Las, alors qu'elle enfile des vêtements dans sa cabine d'essayage, elle se rend soudain compte que des curieux font le pied de grue pour tenter de l'apercevoir. Certains se prennent même en selfie avec leur portable, devant le rideau fermé. Alors qu'elle s'apprête à chausser une paire de souliers, elle remarque que des badauds tentent de prendre ses pieds nus en photo. Elle est stupéfaite, sous le choc. Elle réalise qu'il va falloir oublier, pour longtemps, ce menu plaisir. Rien ne sera plus comme avant. Être première dame implique bien des sacrifices et privations de liberté.

C'est peu dire que les premiers instants de cette nouvelle vie sont déstabilisants. Après la cérémonie d'investiture qui consacre son mari président de la République, elle traverse quinze jours de flottement. Elle se sent vulnérable. Lui doit tout construire : un parti, un gouvernement, une majorité. Elle se retrouve seule, sans statut, sans les codes de ce monde qu'elle ne connaît pas. Encore subjuguée par la vitesse à laquelle tout cela est arrivé. Tiraillée entre la joie de voir l'ambition de son époux satisfaite, la peur qu'il soit malheureux et que leur couple souffre de l'épreuve du pouvoir. Auront-ils encore du temps pour eux? Des moments heureux? Sera-t-il dévoré par la fonction? Écrasé sous la charge qui s'abat sur ses épaules? Dans l'aile est, dite « Madame », rares sont celles qui se sont épanouies. Elle comprend aussitôt que son mari lui échappe. Elle va devoir le partager avec une rivale extrêmement exigeante et chronophage : la France. « C'est très difficile pour l'épouse de comprendre que l'homme avec lequel elle vit ne lui appartient plus, témoigne Renaud Dutreil, ancien ministre de Jacques Chirac et soutien de la première heure d'Emmanuel Macron à droite. Elle est la première à intégrer cela, que son mari ne sera pas un président sur la réserve, qu'il donnera tout à cette fonction. Elle sait qu'elle n'aura pas une vie bourgeoise, mais elle veut qu'il réussisse. Elle sait que ça va lui coûter, mais elle le fait le cœur léger. »

« La Reine des neiges »

« J'avais une vie très banale avant[1]… », nous confie Brigitte Macron en cette veille de Fête de la musique où nous avons rendez-vous dans ses bureaux, au rez-de-chaussée de l'Élysée. Elle ajoute aussitôt, comme si c'était constitutif de son identité : « À part que je suis avec un homme plus jeune. » Elle s'est invitée par surprise au café que nous partageons avec ses deux collaborateurs, précédée par le tintement de la médaille de Nemo, le bâtard présidentiel, un labrador croisé griffon noir qui pose son museau sur nos genoux. Elle est tout sourires, brushing impeccable, nimbée d'un enivrant sillage de parfum floral. Une impressionnante bague scintille à son doigt, prêt de la joaillerie Dior. « Une chape », c'est le premier mot qui lui vient pour décrire cette nouvelle vie. « Ce que personne ne mesure, c'est qu'on est très peu de temps première dame dans une journée. On ne peut pas être première dame de 7 heures du matin jusqu'au soir. Vous avez une chape qui vous tombe dessus. Vous représentez des Françaises et des Français qui n'ont pas voté pour vous. Il ne faut pas les gêner. Si je fais ou dis quelque chose, ça dit quelque chose d'eux. Si je fais un faux pas à l'étranger, on va dire : “Ah, les Français !” »

Sa hantise ? La faute de carre. « Il y en aura. Je suis quelqu'un d'assez naturel, de décontracté. Il faut que je me dompte, que je dompte une nature

1. Entretien avec les auteures au palais de l'Élysée, 20 juin 2018.

très indisciplinée », lâche l'ancienne professeure de français, comme si elle s'adressait un sermon à elle-même. Des gaffes, elle en a déjà commises. Interrogée fin 2015 par Canal+ sur son rôle auprès de son mari, ministre de l'Économie, elle s'était pris les pieds dans le tapis. « On a des échanges musclés. Montaigne a dit : "Il faut toujours limer sa cervelle à celle d'autrui." C'est très important pour progresser. Donc nous limons abondamment », lance-t-elle, face caméra. Assis à côté d'elle ce jour-là, Emmanuel Macron réprime péniblement un fou rire après ce lapsus graveleux. En argot, « limer » a une connotation sexuelle. Ils en rient encore. De là à dissimuler sa vraie nature… «Je ne sais pas faire. J'ai 65 ans, j'en suis incapable ! », jure-t-elle. Elle, si curieuse et spontanée, est pourtant bien obligée de se brider. « C'est ça qui est difficile, c'est que j'ai une responsabilité, poursuit-elle devant nous. Peut-être que je me trompe, mais, malgré moi, je dis quelque chose de la France. Je n'ai pas envie qu'à cause de moi ce soit un mauvais message. Ce n'est pas simple à longueur de temps… » D'un grand geste circulaire du bras, elle désigne les murs qui l'entourent, dans ce château aux airs de forteresse. Et sourit : « Il y a un côté Reine des neiges, ici ! » Au Palais, son quotidien n'a pourtant rien d'un conte de fées.

Le bon plaisir

Les Macron ont reçu un sérieux avertissement avant même leur arrivée à l'Élysée, avec la petite fête organisée pour célébrer les 24 % de suffrages glanés au premier tour, à La Rotonde. Une brasserie réputée du quartier du Montparnasse, où ils ont leur rond de serviette. S'ils se sont indignés que l'on compare cette soirée à la réception au Fouquet's de Nicolas Sarkozy, leurs proches admettent que ce fut une grossière erreur. Sur le coup, la petite équipe qui épaule le candidat nage en pleine euphorie. Pendant des mois, ils se sont battus pour ne pas finir troisième ou quatrième sur la ligne d'arrivée, et voilà leur champion en pole position. Ils l'ont fait ! Pour les remercier de ces mois de dur labeur, Brigitte Macron lance à la cantonade : « Si on gagne, on invite tout le monde à La Rotonde ! » Ce 23 avril 2017, en début d'après-midi, Valérie Lelonge, future secrétaire particulière du chef de l'État, adresse un e-mail à tous les membres du QG, de la part de « Brigitte et Emmanuel Macron », pour les convier à dîner le soir même avec leurs conjoints. Informés que des agapes se préparent, plusieurs people décrochent leur téléphone pour s'inviter. Ils veulent en être. Conçue au départ comme un moment privé pour les « petites mains » de la campagne, la soirée vire à la sauterie mondaine.

Au premier étage de la brasserie, dans le saint des saints, c'est un improbable mélange d'intimes, comme Jacques Attali ; de soutiens politiques, comme Gérard Collomb, Christophe Castaner ou Renaud Dutreil ; et de VIP, comme Line Renaud, Pierre Arditi, Stéphane Bern ou François Berléand, dont certains, alcoolisés, se vautrent dans les canapés de velours carmin. On croise des banquiers d'affaires, qui ont connu Emmanuel Macron dans son ancienne vie, et des enfants de sa grande famille recomposée, dont sa belle-fille Tiphaine Auzière. On croque quelques radis, on picore des asperges. Dans l'escalier, la reine des paparazzis Michèle Marchand, dite « Mimi », joue les physionomistes, laissant passer les uns et refoulant les autres, courroucés, contraints de lui brandir sous le nez leur message d'invitation reçu par texto, signé Brigitte Macron. Détendu, le futur président savoure une boule de glace à la vanille en devisant avec Daniel Cohn-Bendit des élections législatives qui se profilent après le second tour de la présidentielle. « Tu n'auras pas la majorité, avertit l'écologiste. — Si si, je pense que si », prophétise Macron. La conversation roule sur les élections fédérales prévues cinq mois plus tard en Allemagne. « Ça va être dur pour Angela Merkel, parie l'ancien soixante-huitard, devenu une icône européenne. — Mais non, tu verras », corrige Macron, l'air badin. Un orage menace pourtant de gâcher sa campagne d'entre-deux-tours.

Il a raté, il le sait, son discours du soir à la porte de Versailles, dans le sud de Paris. Il s'est montré trop triomphaliste, alors que le Front national de Marine Le Pen est qualifié pour la seconde fois de son histoire en finale de la présidentielle. Pour Macron, c'est l'assurance d'être élu haut la main, mais il aurait dû faire profil bas, afficher davantage de solennité. Plus gênant, il a dangereusement exposé son épouse en la faisant monter sur scène à ses côtés, main dans la main, pour lui rendre ce romantique hommage : «À Brigitte, toujours présente et encore davantage, sans laquelle je ne serais pas moi.» Dans la salle, les militants exultent. Des «Brigitte! Brigitte!» fusent. La tirade paraît décalée. Dans les loges, certains de ses conseillers s'étranglent de voir l'épouse en majesté, un peu gauche, un peu maladroite. Elle le sait et se promet qu'on ne l'y reprendra pas. Ce sera, pour elle, un électrochoc.

Il y a plus grave. Peu à peu, des caméras se massent à l'extérieur de La Rotonde. En vieux briscards de la politique, plusieurs élus tout juste arrivés perçoivent le danger. Ils alertent le candidat. «Qu'est-ce que c'est que cet endroit?», le douche l'un, la voix blanche. Emmanuel Macron se ferme immédiatement : c'est le restaurant où il aime dîner avec son épouse. Celui où il a longtemps réuni son comité de campagne. Celui qui a si souvent servi de fournisseur pour les repas de travail organisés à son quartier général. Une madeleine de Proust, en somme. «C'était mon moment de cœur, réplique-t-il sèchement au journaliste de "Quotidien" sur TMC Paul Larrouturou qui l'interpelle à la sortie. Si vous n'avez pas compris que c'était mon plaisir ce soir d'inviter mes secrétaires, mes officiers de sécurité, les politiques, les écrivains qui depuis le début m'accompagnent, c'est que vous n'avez rien compris à la vie!» «Mon plaisir», c'est tout le problème. Ce soir-là, les Macron comprennent qu'ils ont aliéné leur liberté – et leur bon plaisir – pour les cinq années à venir, au moins.

« La seule inquiétude qu'avait Emmanuel avec la fonction de président de la République, c'était de perdre sa liberté. Là, il était confronté à quelque chose de perso avec La Rotonde », décrypte Christophe Castaner. Qui rapporte cette anecdote éclairante : alors qu'ils sont dans un avion, à quelques jours du premier tour de la présidentielle, les deux hommes parlent sport pour se détendre. « J'adorerais faire de l'escalade », lance le candidat, fan de football et lecteur assidu de *L'Équipe.* « Oh, n'y pense même plus ! Dans les quatre semaines qui viennent, ça va être compliqué. Et après..., s'amuse l'ancien élu socialiste. — Pourquoi ça ? », s'étonne Macron, qui n'a pas encore réalisé qu'il allait être placé sous haute sécurité. « Sur le coup, il a eu un petit blocage », se souvient Castaner.

La discrète

Dans les premières heures du quinquennat, Brigitte Macron se met en retrait. « Elle a eu un moment de recul, de repli, pour trouver ses marques », se remémore une ministre. Le soir du second tour de la présidentielle, elle n'est pas dans le bureau du QG où Emmanuel Macron teste son discours de victoire devant quelques happy few, peu avant la proclamation des résultats officiels. C'est elle qui accueille les rares privilégiés conviés autour du candidat, mais elle reste au seuil de la pièce et s'occupe de ses petits-enfants, excités, qui courent dans les couloirs. Elle s'efface.

De même, soucieux des symboles, les Macron tiennent-ils à mettre en scène leur entrée à l'Élysée, le jour de la passation de pouvoir du 14 mai 2017. Ce n'est pas en couple, main dans la main, qu'ils arrivent dans la cour d'honneur, tels Cécilia et Nicolas Sarkozy entourés de leurs enfants, dix ans plus tôt, comme jadis les Kennedy. Partie seule de leur domicile de la rue Cler, Brigitte Macron précède son époux de quelques minutes sur l'interminable tapis rouge qui la conduit jusqu'au perron, dans un tailleur bleu lavande dessiné pour l'occasion par le couturier phare de la maison Vuitton, Nicolas Ghesquière. Officiellement, il s'agit de ne pas gêner François Hollande qui, célibataire aux yeux du protocole – il n'est pas marié avec Julie Gayet –, n'a pas de « dame » à ses côtés. En vérité, selon plusieurs de leurs proches, ils veulent signifier aux Français qu'ils ont bien choisi un homme, pas un couple. « Ce n'est pas moi qui ai été élue, c'est mon mari », répète la nouvelle « First Lady » comme un mantra. Sous les cris de l'armada de photographes massés dans la cour du Palais, le pas de la nouvelle maîtresse de maison est rapide, déterminé. Derrière son grand sourire, le trac est là, pourtant. Après cette première épreuve du feu, lors de la cérémonie protocolaire de remise du grand collier de la Légion d'honneur au nouveau chef de l'État dans la salle des fêtes, elle se précipite vers l'un des invités et lui murmure cette confidence : « Si tu savais comme j'ai peur de lui faire du mal… »

Si seulement il y avait les amis pour s'épancher. Désormais, elle doit se méfier de tout le monde. Finis les dîners parisiens, ces grandes tablées que les Macron affectionnent tant et qui leur ont permis de se constituer un réseau hors du commun. Peu après l'élection, elle est conviée à un repas chez des particuliers. Un fidèle du président, dont elle s'est rapprochée pendant la campagne, la met aussitôt en garde : « Il y aura qui ? — Je n'en sais rien, avoue-t-elle. — À partir de maintenant, il faut que tu sois extrêmement prudente. Tu ne peux pas aller à un dîner si tu ne sais pas qui est là et pourquoi », la prévient-il en lui expliquant qu'elle entre dans un monde brutal, où certains n'hésiteront pas à payer pour être assis à sa table afin de s'attirer les grâces de son mari ou récolter quelques indiscrétions. Tout pourra être utilisé contre elle. Contre eux. Elle décline de ce fait l'invitation. Son mari sait, déjà, combien tout cela lui pèse. Inquiet, il somme leurs amis de veiller sur elle : « Occupez-vous bien de Brigitte. Vraiment, ne la laissez pas toute seule. »

Fantômes

Le premier week-end que les Macron passent au 55, rue du Faubourg-Saint-Honoré ne les rassure guère sur les contraintes qui les attendent. Avec les 822 employés qui y travaillent chaque jour, l'hôtel d'Évreux, plus connu sous l'appellation de « palais de l'Élysée », est une petite ville dont le cœur ne cesse jamais de battre. On y croise à toute heure cuisiniers, jardiniers et fleuristes affairés, conseillers stressés et soldats de la Garde républicaine en tunique à cordons dorés, coiffés d'un képi à plume rouge. « C'est une caserne militaire », constate dès son arrivée la nouvelle première dame. Difficile d'y installer un foyer réconfortant. Impossible, même : on lui fait comprendre qu'elle n'est que de passage. Prière de ne pas trop déranger. Comment se sentir chez soi dans ces locaux vieillissants chargés d'histoire, qui abritent le siège de la présidence depuis 1848 ? Le bâtiment, offert par Louis XV à la marquise de Pompadour, est hanté de souvenirs tragiques. L'abdication de Napoléon en 1815 après Waterloo, le décès du président Félix Faure en 1899 en fâcheuse position avec sa maîtresse, ou le suicide du conseiller François de Grossouvre en 1994. Certes, il y a eu des moments heureux. Deux présidents, Gaston Doumergue et Nicolas Sarkozy, s'y sont mariés. Mais combien ont rêvé de s'échapper de cette tour d'ivoire, angoissés par la troublante quiétude de ces lieux en plein cœur de Paris ? Le général de Gaulle voulait déménager à Vincennes ce palais bourgeois, souvent vu comme une survivance monarchique ; François Mitterrand, aux Invalides ; et Nicolas Sarkozy, à l'École militaire. « Il pourrait y avoir la guerre dehors, on ne s'en rendrait pas compte », avait coutume de dire François Hollande. Les Macron, vingt-cinquièmes locataires, décident pourtant d'y élire domicile.

Tant de fantômes hantent encore les appartements privés de l'Élysée, au premier étage de l'aile est, sur quelque 200 mètres carrés. Espiègle, Brigitte Macron laisse échapper cette plaisanterie en découvrant la salle de bains : « Ah, c'est là que Trierweiler a mangé ses cachets ! » La première dame a lu des extraits de *Merci pour ce moment*[1] et a été frappée par la scène où la journaliste de *Paris Match* raconte comment, apprenant la liaison de François Hollande avec Julie Gayet, elle s'est précipitée dans cette pièce pour avaler une poignée de somnifères…

Sans en faire état, les Macron décident de procéder à de menus arrangements, comme l'achat, à leurs frais, de lits superposés Ikea pour les petits-enfants. Ils ne changent rien au mobilier. À l'exception notable du sommier et du matelas utilisés, avant eux, par François Hollande et ses compagnes. Le couple apprivoise doucement les lieux, même si la vie au « Château » présente quelques petits inconvénients. Ainsi, une nuit, peu après leur installation, Emmanuel Macron déclenche par mégarde l'interrupteur de sécurité prévu en cas d'urgence. Vite, un garde du corps frappe à la porte, pour s'assurer qu'il n'y a pas de drame. C'est la procédure. Lorsque l'alarme est activée – ce qui s'est déjà produit dans le passé –, les agents du Groupe de sécurité de la présidence de la République (GSPR) se mobilisent. En cette heure tardive, le président n'est pas en costume. Brigitte Macron quitte leur lit et se lève

1. Valérie Trierweiler, *Merci pour ce moment*, Les Arènes, 2014.

pour rassurer l'officier. Il s'agit d'une erreur, tout va bien, apaise-t-elle. Le fonctionnaire insiste, il doit voir le chef de l'État. Gênée, la première dame explique que son mari n'est pas visible...

Très vite, les Macron et leur entourage acquièrent la conviction que personne n'a vécu là depuis des années. Officiellement, le président socialiste s'y est installé contraint et forcé après sa rupture avec Valérie Trierweiler et la vague d'attentats, pour des raisons de sécurité. Nicolas Sarkozy, lui, retrouvait tous les soirs Carla Bruni dans son hôtel particulier de la villa Montmorency, à l'ouest de Paris. Le général de Gaulle, qui logeait à l'Élysée, se réfugiait dès que possible à la Boisserie, sa maison de campagne de Colombey-les-Deux-Églises, en Haute-Marne. Il n'y a guère que Jacques Chirac qui y a vécu de bon cœur. « Il n'y avait pas d'âme, c'était un vieux palais du XVIIIe siècle. On sentait que personne n'avait habité là », glisse l'éphémère porte-parole de l'Élysée Bruno Roger-Petit. Plus direct, un familier des Macron traduit : « Sarko n'y a jamais dormi. Hollande non plus. Il était à côté… » Comprendre : rue du Cirque, à deux pas, théâtre de la fameuse paparazzade casquée. Pour s'approprier l'endroit, le couple, qui adore les terrasses, envisage un temps d'installer des chaises longues dans le jardin – et même sur le toit –, avant de renoncer à l'idée. Impossible de se protéger des regards indiscrets.

Liberté chérie

Pour préserver leur intimité, ils vont savamment sélectionner leurs bureaux respectifs. Ainsi, à la surprise générale, Emmanuel Macron choisit-il de délaisser le salon Doré et son balcon avec vue sur le parc. C'est dans ce prestigieux bureau, sous un imposant lustre Napoléon III, qu'ont officié Nicolas Sarkozy et François Hollande. Le nouveau locataire décide de s'en servir de salon d'apparat. Quel meilleur décor pour les cérémonies protocolaires de signatures de lois ou son portrait officiel ? Fin connaisseur des lieux, l'ancien secrétaire général adjoint jette son dévolu sur le bureau d'angle du premier étage, bien plus modeste, qui hébergea les plumes Henri Guaino, puis Aquilino Morelle, avant de rester vide trois longues années. Valéry Giscard d'Estaing l'occupa en son temps. Férus d'art moderne, les Macron y font installer des œuvres oubliées dans les immenses réserves du Mobilier national, à la disposition du pouvoir. Avec un effet détonnant : le style contemporain, avec des tapisseries de Pierre Alechinsky et de Le Corbusier, côtoie une Marianne relookée par le roi du street art américain Obey et un sens interdit détourné par Clet Abraham, autre artiste de rue très pointu. Par la fenêtre, Emmanuel Macron peut apercevoir sa femme, installée au rez-de-chaussée, et lui faire de petits signes, entre deux rendez-vous. Il en a passé des heures dans cette pièce, à siroter des mojitos et à refaire le monde le soir venu avec son ami Aquilino Morelle, lorsqu'ils étaient tous deux conseillers de François Hollande.

Ce bureau présente surtout un précieux avantage pour le couple : il conduit directement aux appartements privés. Macron peut ainsi rejoindre son domicile et son épouse sans qu'aucun employé du Palais ne le remarque, et, s'il le souhaite, s'échapper discrètement de l'Élysée, par une sortie secondaire.

De son côté, Brigitte Macron prend possession de l'aile Madame. On y trouve l'illustre bibliothèque qui figure sur les portraits officiels de De Gaulle, de Pompidou, de Mitterrand et de Sarkozy; la célèbre salle à manger Pierre Paulin, aménagée dans le plus pur style des années soixante par Claude et Georges Pompidou, et restée en l'état avec ses modules de polyester suspendus qui menacent de s'écrouler. Au point que la pièce a dû être interdite d'accès dans l'attente d'une hypothétique rénovation. C'est là, en rez-de-jardin, dans le salon Bleu dit « des Fougères », baptisé de la sorte en raison des végétaux qui ornent les tapisseries, que la première dame installe son bureau, comme Cécilia Sarkozy, Carla Bruni-Sarkozy et Valérie Trierweiler avant elle. Depuis le départ de la journaliste, l'endroit est resté désert. Brigitte Macron l'aménage à son goût, résolument contemporain, avec un bureau de cuir crème de la designer Matali Crasset, repéré lors d'une visite au Mobilier national. Dehors, elle aperçoit le bonsaï géant que Jacques Chirac a fait planter en hommage à la culture asiatique. Comme une invitation à la méditation.

Pour l'épauler dans sa mission de « First Lady », elle met en place une petite start-up à l'efficacité redoutable. Son mari lui suggère un homme de confiance, Pierre-Olivier Costa, surnommé « POC », qui a rejoint sa campagne en janvier 2017. « Il a voulu le meilleur pour ce qu'il a de plus cher, son épouse », explique un proche du couple. Brigitte Macron est venue le tester entre les deux tours de la présidentielle, l'air de rien : « Il faut que je me prépare, que je trouve un directeur de cabinet. Tu connais des gens ? » Tristan Bromet les rejoint rapidement comme chef de cabinet. Ces deux anciens de la Mairie de Paris ont fait leurs classes auprès de l'exigeant Bertrand Delanoë. « Des gens qui travaillent sérieusement, sans se prendre au sérieux », loue Gaspard Gantzer, qui a dirigé la communication de l'ancien maire de Paris, puis celle de François Hollande à l'Élysée. Outre ces deux piliers, elle peut compter sur deux secrétaires, dont l'une à mi-temps. Petite subtilité, cette équipe dépend directement du cabinet du chef de l'État et gère plusieurs missions pour son compte, comme le Noël de l'Élysée ou les cadeaux de la présidence. Si bien qu'il est impossible de savoir combien coûte précisément Brigitte Macron au contribuable. Son cabinet et celui de son mari sont tellement – et savamment – imbriqués que l'on ne peut établir deux comptabilités distinctes.

Imbroglio juridique

À peine est-elle installée que survient une polémique estivale. À l'Assemblée nationale, le débat fait rage sur la loi de moralisation de la vie publique qu'Emmanuel Macron s'est engagé à mettre en œuvre pour tirer les leçons de l'affaire Penelope Fillon. Une fois le texte voté, les députés ne pourront plus embaucher de collaborateurs familiaux. Raison de plus, jugent les élus mélenchonistes de la France insoumise (LFI), pour que cette stricte règle s'impose au chef de l'État ! Fin juillet, le député LFI Ugo Bernalicis défend dans l'Hémicycle un amendement s'opposant à la création d'un statut juridique pour le conjoint du chef de l'État. Une promesse de campagne de Macron qui avait fait serment de mettre fin à une « hypocrisie française » en donnant un rôle public strictement encadré à son épouse. « Lorsqu'on est élu président de la République, on vit avec quelqu'un, on donne ses jours et ses nuits, on donne sa vie publique et sa vie privée », s'est imprudemment avancé le candidat sur TF1 en avril 2017. Lancée dans la foulée, une pétition hostile à cette réforme recueille plus de 300 000 signatures.

Les esprits ne semblent pas mûrs, dès lors, pour imiter la démocratie américaine où « Flotus », l'acronyme de « First Lady of the United States », occupe une véritable fonction institutionnelle. Celle-ci a été codifiée par une loi de 1978, promulguée sous le mandat de Jimmy Carter. Elle stipule que la première dame américaine doit cesser toute activité professionnelle – Michelle Obama avait suspendu son métier d'avocate –, qu'elle dispose d'une douzaine de conseillers, de bureaux dans l'aile est de la Maison Blanche et d'un budget fédéral propre. Mais elle ne perçoit pas de salaire. Fait méconnu, c'est aux États-Unis qu'est née l'expression « première dame ». Elle aurait été prononcée pendant l'éloge funèbre de Dolley Madison, en 1849, alors que les épouses des présidents étaient jusqu'alors présentées comme « dame » ou « Madame la présidente ». Première dame : Brigitte Macron déteste cette expression, qu'elle trouve prétentieuse et grotesque. « Je ne me sens ni première ni dame ! Je ne suis pas la femme du président, je suis la femme d'Emmanuel Macron », répète-t-elle.

Face à l'avalanche de critiques qui s'abat, l'Élysée fait profil bas en ce premier été du quinquennat. La loi est remisée, remplacée par une simple « charte de transparence » publiée fin août 2017 dans un discret communiqué. Juridiquement, ce document n'a rien de révolutionnaire ni de contraignant puisqu'il n'a vocation à s'appliquer qu'à Brigitte Macron, pour la durée du mandat de son mari. Il a toutefois le grand mérite de codifier un tant soit peu, pour la première fois, la mission de la première dame. Il est ainsi précisé qu'elle assure la représentation de la France à l'étranger aux côtés de son époux, qu'elle supervise les cérémonies officielles à l'Élysée, qu'elle parraine et soutient des œuvres caritatives et culturelles. Surtout, il est inscrit noir sur blanc qu'elle ne dispose d'aucune rémunération, d'aucun budget propre, ni de frais de représentation. Le sujet le plus explosif pour l'opinion.

Combien coûte donc Brigitte Macron aux Français ? Initialement, le chiffre de 440000 euros par an a été avancé par le gouvernement pour ses seuls collaborateurs. Par comparaison, Valérie Trierweiler disposait en 2013 de cinq conseillers pour 396900 euros, auxquels s'ajoutaient 85000 euros de frais de déplacement. Soit un total de près de 482000 euros. Pour en savoir davantage sur l'épouse d'Emmanuel Macron, il faut s'en remettre à l'Élysée, qui évalue le coût de ses trois collaborateurs et demi à 278 750 euros en année pleine, sans plus de précisions. La Cour des comptes avoue s'y être cassé les dents et regrette de s'être retrouvée dans l'incapacité de « pouvoir chiffrer la totalité de ses dépenses, en l'absence d'une comptabilité analytique suffisante[1] ». Alors, véritable transparence ou subtil numéro de communication ?

1. Rapport de la Cour des comptes, « Les comptes et la gestion des services de la présidence de la République (exercice 2017) », 24 juillet 2018.

3

Les fantômes de l'aile Madame

Qui aurait imaginé que cette simple professeure de français d'un lycée d'Amiens, si justement nommé « La Providence », finirait un jour dans les manuels d'histoire ? Qui aurait parié un instant qu'en épousant son ancien élève elle entrerait dans le club très exclusif des premières dames, ces princesses modernes qui ont remplacé les têtes couronnées dans les gazettes people ? Elle, la cadette d'une famille de chocolatiers, qui s'inscrit dans la prestigieuse lignée d'Eleanor Roosevelt, de Jacqueline Kennedy, d'Yvonne de Gaulle et de Michelle Obama. La verra-t-on un jour ramener des otages dans un avion de la République, comme Cécilia ex-Sarkozy qui libéra les infirmières bulgares des geôles du dictateur libyen Kadhafi ? Ou survoler en hélicoptère une zone de combat, telle Pat Nixon, première « First Lady » américaine à se rendre sur un conflit lors de la guerre du Vietnam ? Vertigineux. Écrasant même. Brigitte Macron préfère en rire. Elle adore cette plaisanterie, qui a beaucoup circulé dans les couloirs de la Maison Blanche : lors d'un déplacement, le couple Clinton croise un pompiste. «Je le connais, je suis sortie avec lui!, s'exclame Hillary. — Tu te rends compte si tu étais restée avec? Tu serais femme de garagiste dans un bled de province...», reprend Bill. Réplique d'Hillary : «Non, il serait président des États-Unis, et toi dans un trou de l'Arkansas!»

Maudites

Pour se préparer, Brigitte Macron fait ce qu'elle sait faire de mieux. Elle lit. Beaucoup. Épuisant, studieuse, toute la littérature disponible sur le sujet pendant les derniers mois de la campagne, lorsqu'elle réalise que son mari va l'emporter. «J'ai lu tout ce qui est sorti sur les premières dames françaises[1]», dit-elle. Une chose la frappe : presque toutes ont été malheureuses dans cette vie. «Qu'est-ce qu'elles ont pris! Soit elles ont détesté. Soit elles n'étaient pas tout à fait là.» Au fil des pages, elle voit défiler sous ses yeux la violence, la tragédie, les complots. La mort, aussi. Elle frémit face au destin funeste de Jackie Kennedy, qui a vu le crâne de son mari exploser sous ses yeux, avant de l'enterrer devant les caméras du monde entier. Elle tremble à l'évocation de l'attentat du Petit-Clamart, qui a failli coûter la vie au général de Gaulle. Elle sourit devant la réaction de «tante Yvonne» sortant de la DS présidentielle criblée de quatorze impacts de balles : «J'espère que les poulets n'ont rien eu.» Non pas

1. Entretien avec les auteures au palais de l'Élysée, 20 juin 2018.

les officiers de sécurité, mais les volailles en gelée transportées dans le coffre, que Mme de Gaulle a achetées quelques heures plus tôt chez Fauchon pour leur repas du soir à la Boisserie, leur havre de paix de Colombey-les-Deux-Églises. Brigitte Macron, ses amis l'assurent, ne redoute pas le pire. Elle s'efforce de ne pas y penser. La calomnie, c'est autre chose : elle en a beaucoup souffert, et la craint plus que tout. Lorsque les rumeurs battent leur plein sur l'homosexualité supposée de son mari, pendant la campagne, elle se remémore l'affaire Markovic, du nom de ce petit voyou yougoslave dont le corps a fini dans une décharge. Ce proche d'Alain Delon faisait chanter, murmure-t-on alors, des VIP adeptes de parties fines. À l'époque, on parle d'une « grande blonde » ressemblant à Claude Pompidou. Des photomontages la mettant en scène, en scabreuse position, circulent sous le manteau…

La légende veut que le malheur frappe toutes les premières dames de France. Quelques jours après les élections législatives, un passant happe la main de Brigitte Macron dans la foule au Touquet. « Madame, soyez prudente, parce qu'il y a une malédiction à l'Élysée, vous savez ! » Elle tente de se dégager. L'homme serre plus fort et lâche, comme on jette un sort : « Les premières dames disparaissent quelques mois après l'élection… » Elle parvient à s'échapper et feint d'en rire : « Ouh ! là, là !, on va conjurer ! » Mais elle n'a pas apprécié cette désagréable allusion à Valérie Trierweiler, répudiée pour l'actrice Julie Gayet. À Cécilia ex-Sarkozy aussi, dont le couple si fusionnel n'a pas résisté à la pression du pouvoir. « Nicolas ne me regarde pas plus que la console de l'appartement », se lamentait la future Mme Attias. Une femme, qui a connu cette terrible lessiveuse qu'est l'Élysée, va livrer quelques précieux conseils à la novice.

Opération séduction

Un soir de juillet du début du quinquennat, un couple pénètre en toute discrétion dans le palais présidentiel. Ils connaissent bien les lieux, pour les avoir un temps occupés. Lui y est déjà revenu. Elle jamais, depuis cette passation de pouvoir ratée de mai 2012 avec le « Pingouin ». Ce soir, les Macron ont convié les Sarkozy à dîner. Les deux femmes, qui s'appellent par leur prénom, se connaissent déjà. « Brigitte » a été très touchée par le message que lui a envoyé « Carla » après la victoire. Quelques textos ont suivi. Elles ont tant en commun : le mépris des conventions, un humour féroce, la hantise du temps qui passe et, ce qui ne gâche rien, une puissante aversion pour François Hollande. L'ancien top model, habituée à défiler sur les podiums, renseigne l'ancienne professeure sur les mœurs si violentes du monde politique. Notamment sur les *fake news*, les fausses informations, elle qui a eu l'impression pendant ses quatre années passées à représenter la France d'avoir eu un « avatar ». « Un être hybride qui porte mon nom et qui fait des choses que je ne fais pas, qui dit des choses que je ne dis pas, qui voyage dans des pays où je ne vais pas ! », s'étonnait-elle à l'époque. Elle voue, depuis, une haine tenace aux médias peu scrupuleux qui ont colporté des rumeurs de liaison ou raillé ses rondeurs de jeune maman après la naissance de sa fille, Giulia. « Moi, je souhaite que mes enfants soient tout sauf journalistes. J'ai trop souffert à cause d'eux ! » La soirée s'éternise. Macron propose un dernier verre. Sarkozy décline poliment. Les horloges dorées du Palais sonnent 1 heure du matin, et l'ancien président aime se coucher tôt. Sur le perron, il chapitre gentiment son cadet : « Un président, ça devrait dormir ! » Mais il est conquis. « Lui au moins, il est bien élevé, il est républicain. » Comprendre : pas comme l'autre. Les Macron ont réussi leur opération séduction, non dénuée d'arrière-pensées politiques. Brigitte Macron, courtoise, va faire en sorte de garder le contact. Le 23 décembre suivant, elle appelle Carla Bruni-Sarkozy sur son portable pour lui souhaiter un bon anniversaire. La chanteuse, qui fête ses 50 ans dans un restaurant des Champs-Élysées, ne s'y attendait pas.

L'épouse d'Emmanuel Macron n'a pas les mêmes attentions pour les compagnes de François Hollande. Elle a tout juste croisé Valérie Trierweiler à l'Élysée en marge de la décoration du président du Secours populaire, Julien Lauprêtre, en octobre 2017. Et n'a strictement aucun contact avec Julie Gayet, qu'elle a poliment saluée, avec un grand sourire, lors des obsèques de Johnny Hallyday en l'église de la Madeleine ou lors de l'entrée de Simone et Antoine Veil au Panthéon. Nul doute qu'elle est au courant des perfidies que le couple Hollande-Gayet raconte dans les dîners en ville. Avant l'élection présidentielle, de nombreux convives les auraient entendus s'esclaffer en expliquant qu'Emmanuel Macron était bien obligé de se présenter en 2017, parce que sa femme serait trop âgée en 2022. « Ils l'appellent "la vieille"… », rapporte un témoin.

« Biche »

Qui est donc le modèle de la neuvième première dame de France ? Brigitte Macron n'en revendique aucun. Pour composer son personnage, elle va tailler le costume à sa main, sélectionner ce qu'il y a de meilleur chez chacune des illustres femmes qui l'ont précédée, confectionner une synthèse parfaite. D'Yvonne de Gaulle, issue comme elle de la bourgeoisie de province et destinée à une vie confortable avant d'épouser son mari – et l'histoire avec lui –, elle a le sens de la discrétion. Détail savoureux, cette femme très pieuse, qui refusait les divorcés à l'Élysée, l'aurait certainement interdite d'entrée comme elle tenta de le faire pour une autre Brigitte (Bardot). De Danielle Mitterrand, elle a l'esprit rebelle. De Bernadette Chirac – la seule à avoir été élue du peuple –, le sens politique. Mais c'est avec Claude Pompidou, l'intellectuelle, la moderne, la passionnée d'arts et de lettres, que la ressemblance est la plus frappante. Au point d'en être troublante. À se demander si Brigitte Macron ne s'est pas coulée dans la légende de cette première dame d'exception, incarnation de l'élégance, disparue dix ans avant qu'elle ne foule à son tour les graviers blancs de la cour d'honneur.

Comme elles se ressemblent! Même blondeur, même silhouette haute et gracile. Même prestance, toujours en haute couture, Chanel pour l'une hier, Vuitton pour l'autre aujourd'hui. Mêmes critiques sur leur goût du luxe et leurs jambes trop dénudées. Claude Pompidou, que *Le Canard enchaîné* surnomme «Madame de Pompidour», a défrayé la chronique avec ses robes Courrèges au-dessus du genou. Même attirance pour les artistes : Françoise Sagan, Guy Béart et Niki de Saint Phalle hier; Line Renaud, Philippe Besson et Fabrice Luchini aujourd'hui. Quand Claude Pompidou se pique de musique «dodécaphonique», ancêtre de la musique électronique, avec le compositeur Pierre Boulez, Brigitte Macron se déhanche sur les basses des derniers hymnes techno. Côté privé, les similitudes sont encore plus saisissantes. Avec leurs époux, passés tous les deux par la banque Rothschild, elles partagent la même relation fusionnelle. Ils s'aiment et ne s'en cachent pas, même si la tête du président Pompidou a parfois tourné au contact des sublimes créatures qui fréquentent les couloirs du pouvoir. En privé, Georges Pompidou surnomme joliment sa femme «Biche». Cela sonne un peu comme «Bibi», le petit nom de Brigitte Macron dans la famille. Ultime point commun, les Pompidou n'ont pas d'enfant naturel, faute d'avoir pu en concevoir un. Ils ont adopté un garçon, Alain. Déconcertantes ressemblances... À ceci près que la nouvelle « présidente » répète qu'elle entend être heureuse à l'Élysée. Claude Pompidou détestait cette « maison du malheur » qui lui a volé les derniers moments d'intimité avec son mari, terrassé avant la fin de son mandat par la maladie de Waldenström, un cancer rare du sang.

Chasse aux acariens

C'est Mme Pompidou qui, la première, ouvre les portes de l'Élysée à l'art contemporain et aux meubles design. En 1969, un vent de modernité souffle sur le Palais, « bel endormi » depuis le règne du général de Gaulle. Elle fait accrocher des œuvres de Delaunay, de Pierre Alechinsky, de Pierre Soulages et de Paul Klee sur les cimaises présidentielles, à côté des tapisseries des Gobelins. Dans l'aile privée, les Pompidou, amateurs d'art, mandatent un jeune créateur en vogue, Pierre Paulin, pour redécorer la salle à manger, la bibliothèque et le fumoir de la partie semi-privée, dans le plus pur style des années soixante. Ces aménagements ne dureront guère. À son arrivée cinq ans plus tard, Valéry Giscard d'Estaing fera tout démonter, à l'exception de la célèbre et très kitsch salle à manger. Un demi-siècle plus tard, dans un de ces passages de témoin dont l'histoire a le secret, l'ancienne ministre socialiste Élisabeth Guigou, grande amie de Pierre et Maïa Paulin, interpelle Brigitte Macron dans la salle des fêtes de l'Élysée, le jour de la passation de pouvoir : «J'espère que vous allez dépoussiérer tout ça !

— Avec de l'aide, oui», sourit la nouvelle maîtresse de maison, qui entreprend les jours suivants un grand ménage, savamment médiatisé pour marquer la rupture avec l'ère Hollande. Les vieilles tapisseries colonisées par les acariens sont époussetées; les lourdes tentures qui obscurcissent les fenêtres, décrochées; les meubles trop massifs, renvoyés au Mobilier national. À la place, elle fait venir des caves de la République des tableaux contemporains de Nicolas de Staël et de Jean Dubuffet pour le vestibule d'honneur. Des Alechinsky et des Delaunay, comme Mme Pompidou. «On va s'assécher culturellement, sinon», redoute-t-elle. Elle veut faire de cette maison un musée offert à tous les visiteurs, à qui elle prend toujours soin de préciser : «Ça n'a pas coûté un centime au contribuable.»

Stéphane Bern, bombardé «Monsieur Patrimoine en péril» par Emmanuel Macron, est charmé. «Elle a su donner un coup de jeune, sans faire perdre son identité au Palais, en l'ouvrant aux créateurs, aux métiers d'art, aux artisans du Mobilier national.» Frédéric Mitterrand, qui a aussi eu droit à une visite personnalisée, ne tarit pas d'éloges. «J'avais l'impression d'être comme les vieilles grands-mères qui reviennent dans les châteaux de leur enfance, se pâme l'ancien ministre de la Culture de Nicolas Sarkozy et neveu de François Mitterrand. Ils ont du goût. C'est comme le charme, ça ne s'explique pas.» Un ancien occupant des lieux, qui y a longtemps vécu et exige l'anonymat, se montre plus circonspect sur la révolution tant vantée par les nouveaux locataires. « La modernité n'a pas attendu les Macron ! Elle est entrée avec les Pompidou, qui avaient fait venir de jeunes créateurs. L'art moderne à l'Élysée, ce n'est pas une première. Vous savez, on n'invente rien... »

Les Chirac en marche...

Il en est une, tout de même, qui a aimé cette maison passionnément : Bernadette Chirac. Elle ne s'est jamais remise de son départ du 55, rue du Faubourg-Saint-Honoré, où elle a vécu douze années dans les appartements privés dits « du roi de Rome ». Forte d'une cote de popularité inoxydable, elle reste dans l'imaginaire populaire comme la première dame par excellence, l'irremplaçable marraine de l'opération « Pièces jaunes », aussi à l'aise en escarpins au premier rang des défilés de mode parisiens qu'avec des bottes crottées dans les fermes du département de Corrèze, dont elle a été conseillère générale pendant plus de trente ans. Dès les premières heures du quinquennat, le couple Macron entre en contact avec Claude Chirac pour organiser une visite de courtoisie toute républicaine à ses parents. Le nouveau président tient à les remercier. Plusieurs membres de la famille, il le sait, ont voté pour lui...

C'est le petit-fils de Jacques Chirac qui a joué les éclaireurs. Martin Rey-Chirac, fils de Claude Chirac et de l'ancien judoka Thierry Rey, a cliqué sur le site d'En Marche ! dès la création du mouvement au printemps 2016, bien avant qu'Emmanuel Macron ne quitte le gouvernement. À tout juste 20 ans, en âge de voter pour la première fois à la présidentielle, le jeune homme est conquis par ce trublion qui promet de renverser le vieux système. Martin entend bien faire des émules dans la famille. À commencer par sa grand-mère, qu'il tente d'enrôler. Bernadette Chirac fait d'abord la sourde oreille. Très proche de Nicolas Sarkozy, elle le soutient mordicus pendant la primaire de la droite de l'automne 2016, tandis que son mari et sa fille Claude épaulent Alain Juppé ; et leur ennemi juré Valéry Giscard d'Estaing… François Fillon. Ils n'envisagent donc pas de soutenir ce dernier après sa victoire à plate couture contre Sarkozy. Encore moins de tourner le dos aux Républicains pour rallier le macronisme triomphant. Au fil des mois, elle finit pourtant par se laisser bercer par la douce musique que son petit-fils lui serine. Le naufrage du « Penelopegate » n'arrange rien. Le jour du premier tour de la présidentielle, dans le secret de l'isoloir, Bernadette Chirac finit par glisser un bulletin Macron dans l'urne. « À force de la tanner, Martin a fini par la convaincre. Elle ne s'est pas inscrite à En Marche !, mais elle a voté pour lui ! », révèle un chiraquien du premier cercle. Sa fille Claude et son époux, Frédéric Salat-Baroux, ancien secrétaire général de l'Élysée, resteront officiellement neutres, malgré les amicales pressions des émissaires d'Emmanuel Macron. « Ni Frédéric ni moi n'avons pris position publiquement. La raison est une question de principe et de respect vis-à-vis de Jacques Chirac. Nous ne voulions pas, au travers de l'affirmation de nos choix personnels, l'engager politiquement. Nous nous sommes imposé cette discipline. Dans un monde où il y a de moins en moins de repères, il fallait veiller à agir ainsi », défend Claude Chirac. Renaud Dutreil, ancien ministre chiraquien qui a rejoint très tôt l'épopée En Marche !, n'a pourtant guère de doute sur leur inclination pro-Macron : « Ils avaient l'impression qu'ils n'avaient pas le droit de faire ça. »

Les fleurs de Bernadette

Au moment de franchir le seuil de l'hôtel particulier de la rue de Tournon (Paris 6e) où vivent les Chirac, propriété du milliardaire François Pinault, Brigitte et Emmanuel Macron sont intimidés. En ce chaud samedi de juillet 2017, ils savent qu'ils s'apprêtent à vivre un peu plus qu'une rencontre protocolaire : un passage de témoin. Les deux présidents ne se connaissent pas, question de génération. « Le malheureux Macron n'était même pas né que Jacques Chirac finissait sa carrière ! », sourit un chiraquien, qui exagère un brin. Les Chirac sont tout aussi stressés. Dans la maisonnée, depuis l'annonce de la venue du nouveau couple présidentiel, c'est l'effervescence. Touché, Jacques Chirac veut offrir un cadeau à son jeune successeur. Il tient à ce que ce soit quelque chose de personnel, pas une babiole quelconque achetée dans un magasin. Sa fille, à qui la délicate mission incombe, fouille dans les cartons en quête de la perle rare. Elle déniche plusieurs objets et les soumet à son père, qui porte son choix sur un petit portrait du général de Gaulle en cuir gravé. Elle l'a toujours vu sur son bureau à la Mairie de Paris, à l'Élysée et dans ses derniers locaux de la rue de Lille. « Chirac y tenait beaucoup. C'est le président Pompidou qui le lui avait donné. Ce geste symbolisait la transmission républicaine », confie Claude Chirac. Elle emballe le présent comme elle le peut. Chirac affaibli, c'est Frédéric Salat-Baroux qui en raconte l'histoire à Emmanuel Macron, visiblement ému. « Ils ont été formidables l'un et l'autre, et humainement très justes. C'est rare », salue Claude Chirac. Brigitte Macron, de son côté, déploie des trésors de gentillesse avec Bernadette Chirac, très angoissée par la visite. Elle profite de l'occasion pour l'inviter à l'Élysée à la rentrée de septembre. Comme un passage de relais, entre premières dames cette fois.

Elle pense chaque détail de ce moment. Ce doit être bien plus qu'un déjeuner. Brigitte Macron choisit elle-même la vaisselle, un service en porcelaine de Sèvres que Bernadette Chirac affectionnait particulièrement. Elle compose personnellement le menu avec Guillaume Gomez, le chef de l'Élysée qui officiait déjà aux cuisines à l'époque. Elle concocte, surtout, une petite surprise qui va beaucoup toucher son invitée. À la fin du repas, elle conduit Mme Chirac et sa fille Claude dans la bibliothèque du rez-de-chaussée. Dans la pièce, une quinzaine de personnes ont discrètement pris place pendant que les trois femmes se sustentaient. Des sommités? Non, des «petites mains» qui peuplaient déjà la maison du temps des Chirac au service du linge, de la vaisselle, dans les jardins, ou au service de presse comme Évelyne Richard, grande organisatrice des voyages présidentiels de Pompidou à Macron. Pour finir en beauté, Brigitte Macron prend Bernadette Chirac par le bras pour la guider jusqu'à la salle des fêtes où s'activent les préparatifs du dîner d'État programmé le soir même, en l'honneur du président libanais. Que de souvenirs... Le lendemain, les gendarmes de la loge d'honneur de la rue de l'Élysée, discrète entrée secondaire, voient une voiture s'arrêter à leur hauteur. Au volant, ils reconnaissent Claude Chirac. Assise à côté d'elle, sa mère sort du véhicule, un bouquet de fleurs à la main. Elle insiste pour le porter en personne à Mme Macron. Elle veut être sûre qu'il arrive à bon port.

Un geste achève de toucher la famille Chirac. Quelques semaines plus tard, Brigitte et Emmanuel Macron acceptent de présider la remise du prix de la fondation Jacques-Chirac au musée du quai Branly, alors même que Jacques et Bernadette Chirac ne peuvent pas s'y rendre en raison de leur état de santé. François Hollande, du temps où il était chef de l'État, en avait fait autant. Claude Chirac, qui se garde de dévoiler les noms, a vu bien des hommes politiques annuler la veille en apprenant que ses parents ne seraient pas là... La fille de l'ancien président aura aussi un grand sourire en apprenant cette facétie de Valéry Giscard d'Estaing, éternel rival de son père. En recevant Emmanuel Macron fin juillet 2017, «VGE» n'a pas pu s'empêcher de lancer une prétentieuse remarque à son lointain successeur : «Jeune homme, vous auriez mérité de travailler pour un grand président comme moi!»

La marcheuse de l'Élysée

Est-ce pour exorciser le sort que Brigitte Macron marche tant, ou pour se prouver qu'elle n'est pas enterrée vivante? Toutes les premières dames avant elle ont souffert des restrictions de liberté qu'imposent les lourdes contraintes du protocole et de la sécurité. Un an après son arrivée dans cette prison, Claude Pompidou rêvait déjà de briser ses chaînes : «Être libre, pouvoir me promener dans les rues lorsque j'en ai envie. Faire des courses comme autrefois, entrer au hasard dans un cinéma.» Bernadette Chirac s'offrait des escapades nocturnes et sortait à pied sans agent de sécurité. Carla Bruni enfilait une casquette, des lunettes noires, un jogging et un manteau et filait incognito au magasin Virgin des Champs-Élysées, au cinéma, et même dans le métro. Un jour, un agent de sécurité l'a fouillée au musée de l'Homme, à Paris, sans la reconnaître, elle, l'épouse du président Sarkozy. Son fait d'armes.

Brigitte Macron marche. Il lui arrive de faire faux bond à ses officiers de sécurité, pour goûter de nouveau au plaisir simple d'un trajet solitaire. Le désir de quitter ces murs pesants la tenaille. La plupart du temps escortée par ses gardes du corps, elle s'échappe, son carré blond soigneusement dissimulé sous une casquette. Pour humer l'air de la ville, elle contraint ses deux collaborateurs à de longues promenades, le soir, en guise de réunion. Le premier hiver du quinquennat, « POC et Bromet », leur surnom, y ont laissé quelques paires de souliers vernis, ravagés par la neige transformée en gadoue sur le macadam. A-t-elle lancé une mode ? C'est devenu un phénomène très parisien : le *co-walking*, ou l'art de travailler en flânant !

4

Avec François Hollande, à l'école du pouvoir

Sur le moment, la scène le stupéfie. Lorsqu'en 2011 François Hollande franchit le seuil de cet appartement cossu de quelque 80 mètres carrés de la cité Falguière (Paris 15e), agrémenté d'une jolie terrasse en face de l'Institut Pasteur, l'écrivain Erik Orsenna et Michel Rocard devisent autour d'un verre avec Jérôme Cahuzac. Le milliardaire Xavier Niel, ponte des nouvelles technologies, est passé pour l'apéritif. Bienvenue chez les Macron ! Décontenancé par l'invitation de ce tout jeune homme (il n'a pas 35 ans), le futur président socialiste, que personne n'imagine encore à l'Élysée, arrive avec Valérie Trierweiler à son bras. C'est la première fois que les deux couples se rencontrent. Quelques jours plus tôt, le banquier d'affaires de Rothschild, recommandé par Jacques Attali, est venu solliciter l'ancien patron du Parti socialiste pour intégrer le groupe d'experts qui planchent sur sa campagne. Il l'a tout de suite convié à dîner chez lui avec la fine fleur de la politique et du CAC 40. Ce soir-là, François Hollande remarque à peine Brigitte Macron. Il la trouve, pour tout dire, un peu godiche. Elle parle cuisine, décoration, sorties en ville. Surtout pas de politique. Il est frappé : moins apprêtée et glamour qu'aujourd'hui, elle semble nettement plus âgée que son mari. Comme Nicolas Sarkozy, François Hollande est de la vieille école. Il a du mal à comprendre l'attrait que peuvent exercer les femmes d'âge mûr. Valérie Trierweiler a onze ans de moins que lui. Julie Gayet, dix-huit. Il ignore encore que la maîtresse de maison joue un rôle crucial pour aider son époux à se constituer un réseau. Lors de ce dîner, Brigitte Macron observe Valérie Trierweiler. Perçoit-elle déjà que, derrière la journaliste, se cache une femme tenaillée par une jalousie féroce à l'égard de Ségolène Royal et de toutes celles qui approchent son compagnon ? Relève-t-elle les signes d'agacement, de colère ? Devine-t-elle les complexes, le chagrin ? Pour les Macron, ce couple va devenir un anti-modèle, le contre-exemple absolu. Ils vont faire leurs classes pendant le quinquennat Hollande, véritable précipité d'erreurs et de faux pas. En spectateurs privilégiés, les deux ambitieux vont tirer toutes les leçons de ce pouvoir.

Premiers éclairs

François Hollande élu président, Emmanuel Macron pose ses cartons dans le lumineux bureau du quatrième étage de l'Élysée, très convoité avec sa vue sur les jardins. En charge des questions économiques, il reçoit le gotha de la finance, des ministres, des députés, qui tous s'étonnent de la curieuse affiche placardée au mur : la couverture du roman d'Albert Simonin, *Le cave se rebiffe*. Le jeune prodige, sorti cinquième de la promotion Sédar Senghor de l'ENA, devient conseiller du prince, numéro trois dans l'ordre protocolaire du Château. Brigitte Macron accepte à contrecœur cette nouvelle vie, inquiète que l'État accapare son mari. Jours de semaine et week-ends compris, le nouveau secrétaire général adjoint officie avec ardeur. « Premier arrivé, dernier parti », vante un ancien collègue. François Hollande ne peut plus se passer de son brillant cerveau, même s'ils ne sont pas en phase sur tout. La taxe à 75 % pour les très riches ? « C'est Cuba sans le soleil ! », moque Emmanuel Macron, qui a accepté de diviser son salaire par quinze pour participer à l'aventure élyséenne.

Le premier coup de tonnerre de ce quinquennat, côté cœur, passe un peu inaperçu. Trois jours après la présidentielle de 2012, Valérie Trierweiler accorde un entretien au quotidien britannique *The Times*. La nouvelle première dame prévient qu'elle ne sera « pas une potiche ». Prémonitoire. Un mois plus tard, nouveau coup de semonce. Alors que le débat fait rage sur son statut de journaliste – doit-elle abandonner son métier ou pas ? –, elle consacre sa première chronique dans *Paris Match* à Eleanor Roosevelt, « First Lady et rebelle » qui, bien avant elle, a refusé « d'être réduite au silence ». Comme un nouvel avertissement. Cinq jours après, entre les deux tours des législatives, la foudre s'abat et électrocute le champ politique. Valérie Trierweiler perd ses nerfs en découvrant le mot de soutien de François Hollande sur la profession de foi de Ségolène Royal, engagée dans un combat compliqué pour devenir députée de Charente-Maritime. Derrière les murs des appartements privés, une scène de ménage houleuse déchire le couple présidentiel. La colère déborde sur Twitter, où la première dame encourage ouvertement le dissident socialiste Olivier Falorni. Les conseillers du cabinet élyséen, Emmanuel Macron compris, n'en reviennent pas. Tous croient que son compte a été piraté. Le président, saisi par une rage froide, se prend la tête entre les mains. Retranchée dans un silence très digne, meurtrie, la socialiste Ségolène Royal, battue, s'arroge les faveurs de l'opinion. Brigitte Macron a retenu la leçon. Aux yeux des Français, la jalousie n'a pas de charme. C'est un vilain défaut.

Elle première dame, elle s'exprime le moins possible publiquement, surtout pas pour étaler ses états d'âme. Elle première dame, elle n'a pas de comptes sur les réseaux sociaux, pour ne pas porter préjudice à son mari un soir de courroux. Elle première dame, elle est tout entière dévouée à son époux, après avoir quitté son métier adoré de professeure. Elle première dame, une charte encadre son action. Ce texte, souhaité par Emmanuel Macron, est la conséquence directe de la jurisprudence Trierweiler, compagne sans statut propulsée en première ligne sans être mariée au chef de l'État, sans que l'on sache si elle était la première dame, la première compagne ou une conquête parmi les autres.

La rupture

Un drame va briser l'amitié entre François Hollande et son jeune conseiller. Le 13 avril 2013, à l'âge de 96 ans, la grand-mère chérie d'Emmanuel Macron meurt dans ses bras. Il s'est rendu à son chevet à Amiens. Germaine Noguès, qu'il surnomme tendrement « Manette », est l'autre pilier de sa vie, avec son épouse. Directrice de collège et professeure de géographie, elle fait lire son petit-fils à l'âge de 5 ans, lui enseigne l'histoire, la grammaire, lui inculque l'amour du labeur. Au point que, tout petit, il annonce à ses parents qu'il veut vivre à ses côtés. Quand la famille Macron s'affole de sa passion adolescente pour sa professeure de français, Manette est la seule à le soutenir. Brigitte Macron saura s'en souvenir. Elle n'a jamais jalousé cette femme. Dévasté par son décès, le jeune homme prévient l'Élysée qu'il s'absente quelques jours pour prendre part aux obsèques. Le lundi suivant, il est de retour pour une réunion matinale présidée par François Hollande. Le chef de l'État ouvre la porte, interpelle son conseiller, attablé parmi d'autres. « Ah, lui lance-t-il. Tu es là, toi... » En filigrane affleure le reproche d'une absence prolongée. Emmanuel Macron reste interdit. François Hollande poursuit : « Ah oui, c'est vrai, tu avais une histoire de famille. » Des mots maladroits qui brûlent le cœur de cet homme en deuil. Une « histoire de famille » ? Est-ce ainsi qu'il convient d'évoquer la disparition de l'une des figures les plus importantes de sa vie ? Le chagrin et la colère le submergent. Le conseiller politique Aquilino Morelle, qui s'est pris d'amitié pour lui, l'emmène boire un café. Macron se fâche : « Ce qu'il m'a fait là, je ne lui pardonnerai jamais ! » Si empathique, son épouse est stupéfaite de ce manque d'humanité. Les amis de François Hollande, qui ont vent de l'épisode, relativisent. « Perdre un enfant, c'est terrible. Son conjoint, c'est atroce. Une mère, c'est très dur. Mais une grand-mère de plus de 80 ans, c'est dans l'ordre des choses... », s'excuse un hollandais canal historique, en levant les yeux au ciel : « On n'allait pas faire une cérémonie à l'Élysée et mettre les drapeaux en berne ! »

Dans ce quinquennat qui prend l'eau, les catastrophes s'enchaînent. Celui que l'on surnomme « le Mozart de la finance », « l'hémisphère droit du président », traîne son vague à l'âme. Petites réformes, petites combines, petite politique. Il assiste, atterré, au débat sur la nationalisation avortée des hauts fourneaux de Florange, au scandale Cahuzac, au désastre Leonarda. Le soir venu, dans le bureau d'Aquilino Morelle, avec quelques collègues, il chasse sa déception à coups de mojitos, affalé dans les canapés. Un peu de rhum, de menthe et de citron pour encaisser ces journées maussades. Entre hommes, on se confie, comme à l'armée. Lui vante sa vie de famille si épanouie. Leur glisse à l'occasion : « Ce week-end, je vais voir mes petits-enfants. » Ceux qui ne connaissent pas sa vie privée s'étonnent que ce tout jeune homme soit déjà grand-père. Ils sont ébahis en découvrant son étonnante histoire d'amour, quand Brigitte Macron participe à un dîner de collaborateurs à l'Élysée.

Lorsque François Hollande apparaît avec son casque de scooter sur la couverture de *Closer*, c'est la déflagration. Pris en flagrant délit d'adultère, aux yeux du monde entier… Valérie Trierweiler est humiliée, répudiée pour une actrice plus jeune par un communiqué de presse lapidaire : dix-huit mots en guise de faire-part de rupture. Les Macron assistent à ce naufrage en direct. Quelle amère comédie de boulevard, où se mêlent sphères publiques et privées, à mille lieues des épopées romanesques dont ils sont si friands. Les belles histoires d'amour, ils en raffolent ; les aventures éphémères, très peu pour eux. En dépit de son ouverture d'esprit, ce couple déteste les coureurs. « Les mecs qui sautent sur les nanas, ils n'aiment pas ça, raconte un ancien conseiller élyséen. Autour d'eux, il n'y a que des couples solides. »

Là encore, les Macron retiennent la leçon. Bien avant de se lancer à l'assaut de l'Élysée, ils vont sciemment faire de leur couple un argument de marketing électoral. Lui président, il se targue de vivre l'histoire d'amour la plus romantique de la Ve République, avec une femme d'un quart de siècle de plus que lui. Lui président, la stabilité affective est érigée en vertu cardinale, gage de quiétude sur le plan politique. « Les Français sont préservés des atermoiements de la vie de couple du président. Sa vie privée et sa libido ne sont pas un sujet. Chez Sarkozy et Hollande, ça a fait des dégâts », répètent les collaborateurs d'Emmanuel Macron. Elle première dame, elle est un soutien indéfectible pour son mari, agissant sur lui – officiellement – comme un baume apaisant. L'exact inverse de l'irascible journaliste. Valérie Trierweiler affiche une mine sombre ? Brigitte Macron irradie. Avec un atout de taille : un sourire dévore son visage. « Elle l'apaise, c'est important. Elle régule son hyperactivité. Elle calme les choses », vante le communicant Philippe Grangeon, qui suit Macron depuis ses débuts, après avoir longtemps été le conseiller de l'ombre de Hollande.

Rien ne va plus

Très vite, l'ambition taraude Macron. À force de se comparer à ceux qui jouent les premiers rôles – François Hollande et son Premier ministre Jean-Marc Ayrault –, le sémillant conseiller se sent pousser des ailes. Aux confidents qu'il reçoit à l'Élysée, il commence à jouer une petite musique : « Moi ministre, pourquoi pas ? » Pour le chef de l'État, ancien élu local forgé dans la glaise de Corrèze, il n'en est pas question. Pas de passe-droits. L'élection reste à ses yeux le sésame absolu. Les municipales du printemps 2014 se profilent. Un soir, Macron sonde l'un de ses collègues : « Tu penses que je dois me présenter à Amiens ? » Son interlocuteur devine immédiatement le piège. « Écoute, Emmanuel, tu ne gagneras pas la mairie. Franchement, qu'est-ce que tu vas foutre à Amiens ? Le type qui t'a suggéré ça ne te veut pas du bien. Qui c'est ? » Réponse de Macron : « C'est Hollande... » Il abandonne l'idée. La bataille d'Amiens n'aura pas lieu. D'autant qu'une perspective plus excitante se dessine pour lui. Nommé Premier ministre après la Bérézina qui voit le PS encaisser l'une de ses plus lourdes défaites locales, Manuel Valls rêve de faire entrer cette personnalité charismatique au gouvernement. Le président refuse, pour la même raison : Macron n'a jamais reçu l'onction du suffrage universel. Le jeune homme reste conseiller. Il voit son destin lui échapper, et tient en privé des propos de plus en plus durs à l'égard du chef de l'État et de son bras droit, Pierre-René Lemas. François Hollande le perçoit, mais il n'en a que faire. Pour lui, ce jeune capricieux est déjà gâté pour son âge. C'est ce qu'il dit, du reste. Emmanuel Macron ? « C'est un enfant. »

La crucifixion de son ami Aquilino Morelle convainc Macron de quitter le navire. Politiquement, tout oppose ces deux hommes. L'un penche à gauche ; l'autre, à droite. Ils s'adorent pourtant, se donnent du « ma poule » et du « Macaron ». Le conseiller politique est suspecté de conflit d'intérêts. L'affaire embrase les médias. Une enquête préliminaire est ouverte, qui sera classée sans suite. Plus grave aux yeux de l'opinion, on reproche à Morelle d'avoir fait venir un cireur pour lustrer ses élégants souliers dans une dépendance du Palais. Il a beau l'avoir payé de sa poche, ne contrevenant à aucune loi, le geste est jugé peu compatible avec la « République exemplaire » chère au président Hollande. Il est débarqué sans états d'âme. Emmanuel Macron est scié. Devant l'un de ses visiteurs, il lâche cette sentence, convaincu que le président et Pierre-René Lemas sont à l'origine des déboires de Morelle : « Il faut que je m'en aille avant que ces deux salopes m'égorgent ! » Quand Lemas est remplacé au prestigieux poste de secrétaire général de l'Élysée par le socialiste Jean-Pierre Jouyet, il voit une nouvelle fois un poste qu'il convoite lui échapper. Emmanuel Macron comprend que François Hollande bride ses ambitions. Il a beau adorer Jean-Pierre Jouyet, ancien président de l'Autorité des marchés financiers, ils ont le même carnet d'adresses chez les patrons et risquent de se marcher sur les pieds. À quoi bon rester ? Leurs épouses s'apprécient aussi. Brigitte Macron trouve en Brigitte Taittinger-Jouyet une alliée. Dans les couloirs du Palais, on les surnomme « les Brigitte », comme les deux chanteuses néo-hippies. Cette amitié arrange bien Hollande. Lorsqu'il a un message désagréable à faire passer à Macron, il le dit à son secrétaire général, qui le souffle à sa femme, qui le répète à l'autre Brigitte… Signe que l'entente n'est plus. Les petits cailloux de la discorde sont semés.

Le 15 juillet 2014, Emmanuel Macron quitte l'Élysée. Pour son pot de départ, il a droit à tous les honneurs. Sous la verrière du jardin d'hiver se pressent ministres, actuels et anciens. Fait rarissime, il a tenu à inviter tout le personnel, à qui il a fait forte impression durant ses deux années passées au Palais. « On a l'habitude de voir des gens, mais lui, il nous a vraiment marqués », glisse un employé de cette célèbre maison. Devant cette assemblée hétéroclite, mêlée de politiques et de simples employés, le conseiller démissionnaire ouvre son cœur et encense sa femme : « Tu es le fil qui continue de me relier à la vraie vie. » François Hollande se fend d'un discours et lance cette boutade, que les années rendront cruelle : « Je me suis souvent présenté à l'étranger comme l'homme qui travaille avec Emmanuel Macron… » Avant de s'éclipser, le président tend un bouquet de fleurs à Brigitte Macron et lui souffle cette drôle de remarque : « Je te le rends. » Fine mouche, elle sait que ce n'est qu'un au revoir. Elle se tourne discrètement vers son mari : « Il va te rappeler. » Le chef des cuisines Guillaume Gomez, à qui le conseiller partant a rendu hommage dans son intervention, voit encore plus loin, comme de nombreux salariés de l'Élysée. À la fin des agapes, il glisse à Emmanuel Macron ce petit mot visionnaire : « On n'y connaît rien à la politique, nous, mais on s'y connaît en hommes politiques. Un jour, vous reviendrez par la grande porte ! »

« Je vais en parler à Brigitte »

Le temps d'un été, le couple renoue avec une vie plus « normale » et ses premières amours. Pour monsieur les affaires, pour madame l'enseignement. Version high-tech. Ensemble, ils décident de fonder une start-up et partent sillonner la Silicon Valley, aux États-Unis, pour puiser l'inspiration. Xavier Niel, le fondateur de Free, les rejoint en Californie pour les conseiller. « On avait monté deux choses, raconte Brigitte Macron. Lui, une boîte de conseil à l'international avec Ismaël Emelien et Julien Denormandie. Et moi, sur Internet, ce qu'on appelle un MOOC [*Massive Open Online Course*][1]. » En français, des leçons en ligne ouvertes à tous. « Il voulait que je fasse des cours par Internet. Il s'était rendu compte qu'on pouvait avoir fait toute sa scolarité sans avoir lu les classiques. » Elle prévoit d'enseigner elle-même la littérature et a déjà trouvé une professeure de mathématiques pour l'épauler en sciences. « On validait par paliers, par socles de connaissances », détaille-t-elle, encore enthousiaste. «J'étais à fond ! » Le projet de son époux est très avancé, il a déjà un expert-comptable. Le sien est encore en gestation. Ils sont prêts à se lancer, quand un coup de théâtre vient bousculer leur destin de start-uppers.

Devant une nuée de micros et de caméras, un jeudi de la fin août, Arnaud Montebourg lance une dédicace décapante à François Hollande en lui adressant une « bonne bouteille de la cuvée du redressement » lors de la Fête de la rose de Frangy-en-Bresse. Derrière son écran de télévision, Brigitte

1. Entretien avec les auteures au palais de l'Élysée, 20 juin 2018.

Macron saisit aussitôt ce qui se dessine derrière le sourire goguenard du ministre du Redressement productif. Elle devine l'ire du Premier ministre Manuel Valls, la fureur du président devant ce crime de lèse-majesté. « Quand j'ai vu l'affaire de la cuvée du redressement, je l'ai dit à Emmanuel ! », se souvient-elle. Les heures, elle en a l'intuition, sont comptées avant qu'il soit nommé à Bercy. La presse a beau évoquer le nom d'un grand patron, elle n'y croit guère. « C'était un plan B. Je lui ai dit tout de suite. » Le samedi soir, alors que le couple planche avec des journalistes du magazine *Le Point* sur un entretien qui fera grand bruit, consacré notamment aux 35 heures, le portable d'Emmanuel Macron sonne. C'est François Hollande. L'ancien conseiller a eu le temps de se préparer, de réfléchir. Il pose ses conditions : « Qu'est-ce que j'aurai comme latitude ? Est-ce que je pourrai mener des réformes ? » Il ajoute : « Je vais en parler à Brigitte. » Son épouse, elle, s'est déjà fait son idée.

Tant pis pour la start-up, oubliés les MOOC. Le couple prend ses quartiers en bord de Seine, à Bercy. Sous étroite surveillance hollandaise. Propice au vaudeville, la géographie du ministère traduit les rapports de force, le rang protocolaire. Michel Sapin, l'ami de régiment du président, habite le duplex au-dessus du leur. La cohabitation commence pour le mieux. « Je n'ai jamais eu à taper du pied pour leur demander de faire moins de bruit », badine l'ancien ministre des Finances. Le matin, les Macron et les Sapin se croisent dans l'ascenseur qui dessert les appartements privés. On se salue poliment, on se promet d'organiser un dîner entre voisins qui n'aura jamais lieu. Surtout, le cabinet de Sapin, situé au sixième étage, donne sur l'entrée du logement des Macron. Régulièrement, ses conseillers observent des landaus devant la porte, une trottinette, les petits-enfants de Brigitte. Parfois, c'est elle qui escorte des élèves du lycée Franklin où elle enseigne encore.

Ce sont d'autres allées et venues qui les intriguent. Un soir, prenant tout son temps pour saluer chacun dans ces couloirs qu'il a fréquentés jadis comme ministre de l'Économie de Lionel Jospin, Dominique Strauss-Kahn traverse le grand hall qui mène jusqu'à l'appartement privé des Macron. Le fringant ministre, dont les Français commencent à peine à découvrir le goût pour la provocation, veut voir le « paria » pour parler de l'économie allemande. Un autre jour, c'est l'entrepreneur Jean-David Chamboredon, père du mouvement des « Pigeons » qui a tant gêné François Hollande, qui fait jaser les conseillers de Bercy. Xavier Niel aussi y a ses habitudes. Comme Marc Simoncini, le fondateur de Meetic. Toute la planète « tech ».

À la table des Macron, d'autres convives commencent à affluer. Des people, qui préfèrent la discrète entrée située côté Seine, où un ascenseur distribue tous les étages depuis le petit port du ministère. Stéphane Bern, Johnny Hallyday, Line Renaud, Jean d'Ormesson. «Je ne suis pas sûr que recevoir ces personnalités ait eu une quelconque utilité pour accomplir ses missions», griffe le hollandais Christian Eckert, secrétaire d'État au Budget à l'époque. À mesure que les magazines multiplient les couvertures sur ce couple si atypique, leurs relations de travail deviennent exécrables. «Ce qui est un peu irritant, c'est que, pendant qu'on faisait le boulot, lui recevait le Tout-Paris à Bercy pour étoffer son carnet d'adresses!», s'agace Eckert.

Qu'importent les commentaires acides, Emmanuel Macron trace sa route, soutenu à temps plein par son épouse qui prend en juin 2015 sa retraite de professeure. En matière de réceptions nocturnes, le futur candidat passe à la vitesse supérieure, quitte à dîner deux fois. Quand madame joue la maîtresse de maison dans les appartements privés, monsieur entame son repas dans une cérémonie officielle et poursuit ses rencontres officieuses dans son duplex de Bercy. À la «popote», comme on appelle la cantine du ministère, les fonctionnaires voient défiler de nouvelles têtes qui ne figurent pas à l'organigramme du cabinet du ministre de l'Économie. Michel Sapin et Christian Eckert font leurs calculs : au total, selon eux, vingt-cinq personnes travaillent alors en coulisses à la destinée de leur cadet si pressé. Lorsque le couple quittera les lieux, ils découvriront un e-mail imprimé avec la liste exhaustive de tous les noms.

« Le râteau en pleine figure »

L'avenir du pays se joue au cœur de l'été 2015. La loi Macron I est promulguée. L'enseignante arrête de travailler. Son mari songe à trouver un point de chute pour les élections législatives de 2017. Il sonde le socialiste Jean Glavany, dont la circonscription couvre la cité de Bagnères-de-Bigorre qui lui est chère. C'est non. La fédération socialiste du Pas-de-Calais est prête, elle, à l'accueillir au Touquet. Son ami Julien Dray joue les émissaires auprès du patron du PS, Jean-Christophe Cambadélis. Qui refuse net : « C'est hors de question ! C'est un ministre d'ouverture, il n'est pas membre du PS. » François Hollande préfère fermer les yeux. Manuel Valls lui coupe peu à peu l'oxygène. Aux amis qui tentent de lui remonter le moral, Emmanuel Macron confie qu'il réfléchit à fonder sa propre petite PME, un mouvement politique. Sans qu'ils comprennent très bien s'il compte rouler pour lui ou pour le président.

Michel Sapin est le premier à alerter le chef de l'État, qui refuse de voir ce qui se noue sous ses yeux. « Macron est tourné vers autre chose qui me paraît de nature à être pour toi un problème ! » Chaque fois, l'ami fidèle s'entend répondre : « Tu es jaloux, Michel. Il est beau, il accroche la lumière. Il est utile pour capter une partie de la droite. » François Hollande a toujours été un adepte de la théorie du râteau. « On doit ratisser large. Macron est une dent rattachée à la partie droite du râtelier », philosophe-t-il. Michel Sapin n'y tient plus et lui rétorque : « Arrête avec ton histoire de râteau, un jour c'est toi qui vas te le prendre en pleine figure ! » Le regard braqué sur l'Élysée, le jeune trublion fonde En Marche ! en avril 2016 et démissionne peu après du gouvernement. Un parricide dont François Hollande ne revient toujours pas. Un an après lui avoir remis les clefs de l'Élysée, il adresse à Macron son livre *Les Leçons du pouvoir*[1]. Sur la page de garde, il a griffonné cette fielleuse dédicace, de son écriture en pattes de mouche : « Toi aussi, un jour, tu tireras les leçons du pouvoir. »

1. François Hollande, *Les Leçons du pouvoir,* Stock, 2018.

DEUXIÈME PARTIE

Dans la lumière

5

La métamorphose

Dans les appartements privés du chef d'état-major des armées à l'École militaire, au cœur de Paris, on a sorti le champagne. L'humeur des femmes qui patientent est aussi pétillante que le breuvage qui emplit leurs coupes. Elles sont des dizaines, membres d'une association d'épouses de soldats. Ce lundi printanier de 2018, la venue de Brigitte Macron les comble de joie : cela fait si longtemps qu'elles n'ont pas vu de première dame. Elles devisent, enjouées, échangent des nouvelles de leur famille quand la porte s'entrouvre. Brigitte Macron apparaît, en élégant tailleur grège. C'est bien elle, avec son carré miel. Que de cris, de téléphones brandis pour capturer son image. « C'était comme Patrick Bruel dans les années quatre-vingt ! », se remémore un témoin de la scène. Cette débauche d'enthousiasme stupéfie la première dame. Elle ne peut s'empêcher de regarder par-dessus son épaule : qui est donc la vedette qui les enivre ? Il n'y a personne d'autre qu'elle. En sortant de la pièce, elle est encore troublée : « C'est dingue, quand j'ai entendu les applaudissements, mon premier réflexe a été de me retourner. Comme si je n'arrivais toujours pas à concevoir que toutes ces marques d'attention sont pour moi. »

Surjoue-t-elle les ingénues ? Cela fait quatre ans que sa vie a radicalement basculé. Jusqu'à l'été 2014, Brigitte Macron est une femme presque comme les autres, épouse d'un haut conseiller de l'Élysée, ancien banquier, dont le patronyme n'est connu que du petit monde parisien. En quelques semaines seulement, elle quitte l'anonymat de sa vie d'enseignante et devient une épouse atypique que les Français reconnaissent, un prénom familier, un sourire que tant d'yeux scrutent lorsqu'elle apparaît au bras du chef de l'État. Métamorphosée, la voilà entrée dans le cercle restreint des personnages qui peuplent la comédie du pouvoir, avec sa silhouette filiforme si caractéristique. C'est devenu sa signature, comme un poinçon.

Personal shopper

Ceux qui l'ont côtoyée avant sa notoriété sont unanimes : Brigitte Macron n'est plus la même, elle a changé. « Elle s'habille mieux, avec des tenues plus affriolantes. Avant, elle faisait davantage son âge », relève non sans misogynie un « vieux mâle blanc » socialiste qui a connu les Macron dans leur vie passée. Perfidie ordinaire ? C'est la rançon de la gloire. Elle a appris, à ses dépens. Prise dans les filets d'un paparazzi dans les rues de Montmartre à la fin de l'été 2014, alors que son mari vient d'être nommé ministre de l'Économie, elle a l'air de Mme Tout-le-Monde en couverture de l'hebdomadaire people *Closer*, sa première une. Les cheveux brouillons, le col de la veste mal ajusté, un pull anthracite quelconque. À l'époque, elle porte des talons moins hauts, des vestes trop amples. Son apparence est en passe de devenir un élément constitutif de la conquête du pouvoir. Les caméras la détaillent, les objectifs la fixent. Brigitte Macron doit adapter son dressing tant bien que mal. À tâtons. Prise de court les premiers jours à l'Élysée, elle pioche dans ses vêtements personnels quelques pièces qu'elle affectionne. Las, si l'histoire de la nouvelle première dame de France envoûte les médias, les commentaires sur son apparence sont féroces. Ainsi le très sérieux *Financial Times* lui consacre-t-il un portrait des plus aimables, tout en s'interrogeant sur son style… « cagole ». « De pittoresques poissonnières du sud de la France qui mettent en avant leur féminité », explicite le quotidien britannique à ses lecteurs. Qu'importe si Brigitte Macron est originaire du Nord, son blond peroxydé et son teint toujours hâlé semblent jurer le contraire. Elle se retrouve cataloguée sous une étiquette populaire, tendance vulgaire. Lors du sommet de l'OTAN à Bruxelles, qui suit de peu l'élection présidentielle en France, sa robe patineuse noire au-dessus du genou, signée Louis Vuitton, déchaîne les passions. Certains s'offusquent. Trop courte ! Déplacée ! La comparaison avec Melania Trump, parée d'un sage ensemble beige, est sévère.

« Elle n'a pas eu le temps de se faire faire des habits sur mesure et porte des vêtements de sa garde-robe », la défendent ses proches. On ne l'y reprendra plus.

Cela doit cesser, elle se fait aider. Après l'incident de la séance shopping du Bon Marché, pour éviter de tels attroupements, Brigitte Macron recrute un *personal shopper* sur ses deniers personnels. Il ne s'agit pas d'un styliste à proprement parler, mais d'un conseiller qui sélectionne en boutique pantalons, robes et autres ensembles. Tous les deux mois, il se rend au Palais pour lui soumettre sa moisson. Les pièces qu'elle sélectionne lui sont alors prêtées par les enseignes, le temps d'une saison, quand elle ne paie pas directement en puisant dans sa retraite de professeure celles qu'elle souhaite conserver. Elle les mélange avec ses propres habits, comme cette paire de bottines que ses enfants lui ont achetée dans une boutique du Touquet. Quant aux tenues de ses apparitions officielles, elles sont issues de son dressing protocolaire. Un vestiaire où circulent des créations issues d'une poignée de maisons de haute couture, qui s'enorgueillissent de vêtir la première dame, au premier rang desquelles Louis Vuitton. Rien ne lui est offert, rien n'est payé par le contribuable. Son cabinet a établi un accord-cadre avec les marques. Ce contrat spécifie que Brigitte Macron s'engage à restituer les créations après les avoir portées, le temps d'une cérémonie officielle ou pendant plusieurs mois. Manière on ne peut plus sûre d'éviter les fautes de goût, à l'abri des couleurs un brin criardes et des chaussures compensées qu'elle affectionnait tant.

Pour son teint et sa coupe, toujours impeccables, elle partage avec le président une maquilleuse-coiffeuse, rémunérée au forfait, qui intervient ponctuellement à l'Élysée, quand elle ne les accompagne pas en déplacement. Emmanuel Macron a retenu la leçon, après s'être fait épingler au début de son mandat avec une facture exorbitante de 26000 euros de maquillage. À chaque apparition publique, coups de pinceaux et séances de brushing sont programmés. Ainsi, la « First Lady » offre-t-elle un visage parfaitement poudré, une chevelure soignée. Son apparence s'est figée, pour mieux rester gravée dans les rétines. Elle est devenue ce personnage immédiatement reconnaissable avec son carré flou. Comme elle, d'autres célébrités ont eu recours à ce procédé. C'est le cas d'Anna Wintour, la rédactrice en chef du magazine *Vogue*, qu'elle a rencontrée au tout début du quinquennat. Depuis qu'elle est devenue la « papesse de la mode », l'Américaine arbore une coiffure à frange emblématique, à peine plus courte que la sienne. Ou d'Angela Merkel, avec sa coupe austère et ses immuables vestes colorées sur pantalon noir. Pour les Français comme pour les caricaturistes qui la croquent, Brigitte Macron est désormais cette silhouette de sylphide, surmontée d'une coiffe blonde. « Les plus belles jambes de Paris », flatte le directeur artistique de la maison Chanel, Karl Lagerfeld.

Du vélo chaque matin

Sa forme, la première dame la sculpte au quotidien. Elle soigne son alimentation, veille à ce qu'on lui serve dix fruits et légumes par jour à l'Élysée et ne s'autorise pas le moindre écart en dehors des repas, qu'elle ne saute jamais. Elle ne s'octroie aucun grignotage lors des cocktails, où elle boude petits-fours et mignardises, mais ne se laisse pas dépérir pour autant. « Quand on va au resto, elle prend une entrée, un plat et un verre de vin, voire deux, et parfois elle termine même la corbeille de pain ! », sourit l'un de ses amis. Si elle n'a pas de coach sportif, la première dame a fait installer un vélo d'appartement dans la salle de bains des appartements privés pour entretenir sa taille fine chaque matin, et marche dès qu'elle en a l'occasion. « Elle a une ligne que les femmes n'ont pas, elle fait très attention, dit une proche sous le sceau de l'anonymat. Je vous assure que les robes qu'elle porte, sur moi ce ne serait pas la même histoire... Je n'ose pas le lui dire, mais cela m'inquiète pour les jeunes filles qui veulent lui ressembler. »

L'attrait qu'elle exerce n'empêche pas pour autant les remarques grossières, en privé comme en public. Au vu et au su du monde entier, Brigitte Macron doit encaisser la goujaterie de Donald Trump, qui feint de s'émerveiller en la jaugeant de pied en cap : « Elle est vraiment en bonne forme physique ! » Face à l'indélicat président américain qui la détaille devant son époux et commente sa silhouette en mondovision, la première dame offre un sourire poli, en guise de bouclier. Il lui arrive si souvent de serrer les dents, comme à la fin de ce rendez-vous où, pensant bien faire, son invitée du jour lui offre spontanément les coordonnées de son chirurgien esthétique, avec ces mots, comme un conseil pressant : « Il fait des choses très bien ! » Une attention déplacée qui traduit cette injonction contemporaine faite aux femmes de camoufler le temps qui passe, d'être toujours parfaites. Ce sont souvent les hommes de plus de 50 ans, élus ou conseillers, qui distillent les commentaires les plus désobligeants. « Elle n'a pas toujours eu ce physique, elle l'a construit », évoque méchamment un ancien du Château. « Elle a fait tous les efforts, tous les efforts… », lâche un autre familier des allées du pouvoir, lourd de sous-entendus, en édictant cette maxime cruelle : « Pour être présente, il faut être présentable. »

Crème miracle

Ses vingt-quatre ans de différence avec son époux demeurent son talon d'Achille. Elle préfère en rire, pour exorciser. Un soir, bien avant qu'Emmanuel Macron ne lance En Marche !, le couple dîne chez des amis. Leur hôte entame : « Mon choix est fait. En 2017, je vote pour Alain Juppé ; en 2022, je vote pour Manuel Valls ; et, si mon Alzheimer n'est pas excessif, en 2027 je vote pour toi ! » Réplique amusée du futur chef de l'État : « Je vais t'épargner ça, je vais accélérer. » « Non mais attends, Emmanuel, l'interrompt son épouse. En 2027, ton problème ce ne sera pas son Alzheimer, ce sera ma gueule ! » « Ma gueule » : l'expression revient souvent sur ses lèvres, à force d'attaques et de commentaires cruels. Elle les trouve si injustes et s'inquiète que ses petits-enfants n'en souffrent à leur tour, en grandissant. D'autant qu'elle n'y peut rien. Comment freiner le temps qui passe ? « Ce n'est pas quelque chose que j'ai fait, dit-elle. Je vais vieillir, on ne choisit pas. » Son fatalisme ne l'empêche pas de souffrir des piques cruelles sur son âge. À la rentrée 2018, elle est devant son téléviseur sur France 2 pour suivre la première de la saison de l'émission « On n'est pas couché ». Tandis que défilent des clichés des Macron en train de se baigner et de faire du jet-ski à Brégançon, Laurent Ruquier ose cette mauvaise plaisanterie : « Brigitte, en plus, a résisté à la canicule ! » Derrière son écran, elle encaisse. « C'est dur. Ce qui la déçoit, c'est que la critique est toujours, toujours sur son âge », regrette un proche.

Son image de femme mûre et épanouie n'a pas échappé aux esprits les plus malveillants. Au début du quinquennat, des escrocs cherchent à en tirer profit. La duperie est bien ficelée. Il s'agit de faire croire aux Françaises qui la jalousent qu'elle est devenue l'égérie d'une crème antirides, produite par une start-up dont elle serait la patronne. Sur Internet, de faux articles de presse vantent la success-story de la prétendue firme de cosmétiques de la première dame, évidemment utilisatrice de la « solution antirides qui pourrait changer l'industrie des soins pour la peau pour toujours». À l'appui de la démonstration, une photo de l'épouse du chef de l'État, rayonnante. Des méandres de la Toile surgit alors une publicité pour les produits en question. Quelques clics plus tard, sur le site Beauty and Truth, des doses d'essai sont commercialisées pour la modeste somme de 3,95 euros. En renseignant leurs coordonnées bancaires, les victimes découvrent qu'elles ont en réalité souscrit un abonnement bien plus onéreux. Une vingtaine d'entre elles prennent la plume pour alerter l'Élysée sur cette escroquerie. Brigitte Macron mandate son avocat afin qu'il fasse interdire les sites en question.

La première dame est aussi victime de tentatives d'usurpation d'identité. De faux courriers électroniques sont adressés à des établissements de prestige pour solliciter en son nom des passe-droits et des invitations à divers événements courus. En Australie, la Fédération d'automobile est contactée par de prétendus collaborateurs de Brigitte Macron pour décrocher des places à un Grand Prix de Formule 1. Les imposteurs tentent de duper un établissement de luxe au Maroc. Des e-mails sont adressés à Hong Kong, au Bangladesh. Averti, son cabinet sévit et porte plainte. Aussi désagréable soit-elle, cette arnaque n'est pas surprenante. L'animatrice Cristina Córdula, le chanteur Michel Sardou ou une ancienne Miss France ont connu les mêmes affres, dommage collatéral de la célébrité.

« Brigitte mania »

À Paris, un mois après l'élection d'Emmanuel Macron, une marque branchée met en vente en édition limitée un tee-shirt sérigraphié en l'honneur de la nouvelle locataire de l'Élysée. Son prénom en lettres rouges ou noires sur du coton blanc. *Brigitte*, comme un slogan. Le vêtement a été imaginé par les designers suédois d'H&M pour le magasin Weekday, situé dans le Marais, quartier parisien des amoureux de la mode. L'article s'arrache dès sa mise en vente. Les premiers jours, des clients font la queue devant l'enseigne. Du jamais vu, même lors d'une opération similaire dédiée à la chanteuse américaine Beyoncé. L'événement, censé durer une semaine, s'étale finalement jusqu'à la fin de l'été.

Cet engouement pour l'épouse du chef de l'État se mesure aussi sur le site de l'Élysée. La boutique en ligne de la présidence ne propose que deux articles estampillés « première dame », un tee-shirt et un sac de toile. Ils figurent parmi les meilleures ventes et surpassent, de loin, les produits siglés « président ».

Une « Brigitte mania » souffle sur la France, et même au-delà. Les magazines féminins décortiquent ses tenues, traquent ses accessoires, à l'affût des marques qu'elle arbore. On encense son allure, la modernité de son style. La consécration survient en octobre 2018, quand l'édition américaine de *Vanity Fair* publie un classement des personnalités les mieux habillées de l'année. Verdict ? « The French

Jane Fonda » compte parmi les stars de « l'international du glamour ». L'onction suprême pour les reines du style. Cette revue reconnue dans le monde de la mode célèbre « Madame de la minijupe » aux côtés d'Amal Clooney, l'épouse de l'acteur, et de Meghan Markle, la duchesse de Sussex et femme du prince Harry. L'Amiénoise étincelle à la une des magazines étrangers au milieu de vedettes internationales. Sur le tard, à l'âge où tant d'autres quittent la vie professionnelle, une icône est née.

6

La légende de la présidente normale

Dans son iPhone X dernier cri, Brigitte Macron n'a pas l'application du *Gault & Millau*, le guide gastronomique des fins gourmets. Les étoiles du *Michelin* n'y figurent pas non plus. Trop sophistiqué. Elle leur préfère une chaîne de restaurants qui poussent au bord des routes nationales : les Courtepaille. Lorsqu'elle sillonne la France en voiture, elle repère les enseignes qui se trouvent sur son trajet pour le déjeuner. « Il y en a un dans quelques kilomètres ! », glisse-t-elle, guillerette, à son chauffeur, après avoir pianoté sur l'application. La première dame aime ces grillades servies sans manières sur des nappes de papier, ces tablées où l'on dévore viandes et pommes de terre, la convivialité du lieu. Dis-moi ce que tu manges, je te dirai qui tu es : une bonne vivante, Française jusque dans son verre de vin. Blanc de préférence, rosé l'été, servi avec quelques glaçons. N'en déplaise à ses semblables, Brigitte Macron a de l'appétit et des goûts culinaires on ne peut plus gaulois, au premier rang desquels les moules-frites, mets typique de sa région natale.

En arrivant à l'Élysée, elle a prévenu Guillaume Gomez, le chef des cuisines de la première maison de France. Dans les assiettes, elle veut savoir de quoi elle se sustente et identifier chacun des ingrédients. Les sculptures de carottes, très peu pour elle. Comble du raffinement ou du simplisme ? Sans doute un peu des deux.

Il en est de ses goûts culinaires comme du reste de ses penchants. Serait-elle chiraquienne ? La première dame fait le grand écart entre passions raffinées et culture populaire. Comme l'ancien président de la République qui surjouait à gros traits son côté franchouillard, amateur de tête de veau et de Corona, alors qu'il n'aimait rien tant que les arts premiers des civilisations ancestrales et la délicatesse de la gastronomie chinoise. Une légende que son entourage façonne opportunément : l'épouse de « Jupiter » a beau vivre un destin extraordinaire, elle resterait une femme résolument normale. À quelques nuances près.

C'est vrai, elle adore les aires d'autoroute, aller au spectacle, fredonner dans sa voiture, collectionner des photos de famille, faire ses courses avec son Caddie chez Toys "R" Us pour Noël. Elle n'aime pas franchement l'avion, surtout par temps d'orage, et préfère le confort d'une bonne paire de baskets au vertige des talons. Comme tout le monde. Sauf qu'elle est l'épouse du dirigeant de la septième puissance économique mondiale, locataire d'un monument historique dont les invités sont reines, empereurs et présidents.

Issue d'une famille aisée de la bourgeoisie amiénoise, elle apprivoise sans peine les usages de cet environnement. D'autant qu'ils ne sont pas si étrangers aux us des cercles qu'elle a fréquentés, depuis sa plus tendre enfance jusqu'aux salles de classe des beaux quartiers où elle a enseigné. Ni snob ni guindée, elle n'est pas corsetée par les conventions sociales de son milieu. Est-ce parce qu'elle est libre et transgressive ? Derrière l'héroïne romanesque se cache une baby-boomeuse ordinaire. Derrière l'icône parfaite, une madone populaire.

De Beethoven aux Tuche

Lorsqu'ils dressent son portrait, évidemment flatteur, ses proches évoquent inévitablement son érudition. Ce « besoin vital de nourriture intellectuelle » qui les éblouit. Dithyrambiques quand ils évoquent cette femme, tous l'assurent en chœur : « Pour elle, la culture est sacrée. » Elle arpente avec plaisir les expositions les plus pointues de la capitale, en amatrice chevronnée d'art contemporain et de design. En musique classique, elle préfère Bach et Beethoven à Debussy, mais aime sortir des sentiers battus. Sa curiosité a été piquée devant cette adaptation originale du requiem de Mozart, interprétée par une compagnie afro-jazz qu'elle a découverte au théâtre de Chaillot, à Paris. C'est grâce à elle que les « soirées de l'Élysée » ont vu le jour. Des représentations sous les dorures présidentielles, pour restaurer le lustre culturel des lieux, avec des talents aussi célèbres que grand public. Le violoniste Renaud Capuçon, les comédiens Philippe Torreton et Fabrice Luchini, le ténor Roberto Alagna s'y sont produits.

Ses biens les plus précieux, ce sont ses livres, jurent ses amis. En déplacement, elle en glisse toujours plusieurs dans ses bagages. Couche-tard, la première dame ne peut s'endormir sans avoir feuilleté quelques pages, en attendant son mari. « Elle est bien plus cultivée que lui », ose un collaborateur du président. Elle peut parler des heures des classiques de la littérature française, de la noirceur de Maupassant, du romantisme de Stendhal, du réalisme de Flaubert, dont elle a tant aimé le roman inachevé *Bouvard et Pécuchet*. Elle lit tout ce qui sort, tout ce dont on parle. Le dernier Joël Dicker, jeune écrivain à la mode, comme Pierre Lemaitre, lauréat du prestigieux prix Goncourt. Elle ne comprend pas les polémiques qui enflamment régulièrement le débat public, sur l'opportunité par exemple de publier les pamphlets antisémites de Céline. « Elle trouve ça totalement stérile. Elle aime l'audace. En tout », témoigne un fidèle.

Brigitte Macron n'hésite pas à prodiguer ses conseils de lecture à ses interlocuteurs, qu'ils soient ministres, acteurs, vedettes du petit écran ou simples badauds. Elle aime aussi se faire recommander des titres, engager une conversation sur le chemin des lettres. Un jour qu'elle surgit dans l'aile Madame, telle une apparition, en jean et baskets, ni trop apprêtée ni trop décontractée, elle nous questionne :

« Qu'avez-vous lu récemment[1] ? » Le délicat roman de la journaliste Vanessa Schneider, *Tu t'appelais Maria Schneider*[2], répond-on. La première dame connaît bien l'histoire de l'actrice, trahie par le réalisateur Bernardo Bertolucci alors qu'elle interprète Jeanne, une Française engagée dans une relation torride avec un Américain à la dérive. « Vous avez vu *Le Dernier Tango à Paris ?* Ce film me hante depuis mes 18 ans. D'abord, parce que c'est Marlon Brando. On avait séché les cours pour aller le voir. Je ne peux pas passer à Bir-Hakeim à Paris sans y penser. Cet homme qui l'abuse... Il faut voir ce film, enjoint-elle. Je vous assure, vous ne regarderez plus jamais une motte de beurre de la même manière ! »

Si elle est amatrice des grands classiques du septième art, la première dame n'a pas de mépris pour le petit écran, loin s'en faut. Des références bien plus communes peuplent son quotidien. Le samedi soir, comme nombre de ses concitoyens, elle regarde la télévision avec son époux. L'émission de Laurent Ruquier ou « The Voice », le télé-crochet de TF1. De temps à autre, ils s'autorisent le droit de se distraire devant une comédie. Ainsi, ils ont visionné le DVD des *Tuche 3*, qu'ils ont reçu à l'Élysée. Drôle de mise en abyme. Dans ce film potache, Jeff et Cathy Tuche, campés par Jean-Paul Rouve et Isabelle Nanty,

1. Entretien avec l'une des auteures au palais de l'Élysée, 10 septembre 2018.
2. Vanessa Schneider, *Tu t'appelais Maria Schneider*, Grasset, 2018.

deviennent président de la République et première dame grâce à d'heureux concours de circonstances... En semaine, quand le jour décline, elle aime s'installer devant « Quotidien », de Yann Barthès, sur TMC. Le présentateur a beau être impertinent avec le président, la première dame rit de bon cœur. Côté radio, ses habitudes sont tout aussi populaires. Éclectique, son attrait pour la musique classique ne l'empêche pas d'écouter OUI FM. Lorsqu'elle est en voiture, elle demande parfois à son chauffeur de monter le volume quand une mélodie entraînante envahit les ondes : « Je sens que ça va me plaire ! » En matière d'information quotidienne, c'est RMC qui a sa préférence. Elle voue un véritable culte à l'émission « Les Grandes Gueules », dont les chroniqueurs emmenés par le tandem Alain Marschall et Olivier Truchot s'écharpent sur les sujets d'actualité. C'est grâce à eux qu'elle a fait la connaissance de son « coup de cœur », Claire O'Petit.

Pour le premier meeting d'En Marche !, le 12 juillet 2016 à la Maison de la Mutualité à Paris, l'épouse du ministre de l'Économie apprend incidemment que cette « grande gueule » de RMC est présente dans la salle. Elle trépigne sur son siège, se retourne, cherchant du regard l'ancienne commerçante qu'elle a si souvent entendue fustiger toutes sortes de taxes. Lorsqu'elle la trouve enfin, installée deux rangs derrière elle, Brigitte Macron, assise aux côtés de son mari, se lève et s'avance, courbée, jusqu'à sa débatteuse préférée qui n'en croit pas ses yeux. « Ah ! là, là, Claire ! Je vous aime beaucoup ! Ce que je suis émue de vous rencontrer ! Je vous écoute à la radio dès que je peux », lui chuchote-t-elle. La scène est stupéfiante. Des dizaines de regards, interloqués, observent les deux femmes. « Mais levez-vous ! », la supplie Claire O'Petit, aussi touchée que gênée de la voir accroupie devant elle. Brigitte Macron obtempère, ravie de l'avoir rencontrée, et retourne s'asseoir, lui adressant de temps en temps, en véritable midinette, de petits signes de la main. À l'issue du discours d'Emmanuel Macron, elle s'empresse d'inviter la chroniqueuse à boire un verre au premier étage. Elle a une requête, qu'elle parvient à peine à formuler. «Je n'ose pas vous demander ! Je rêverais… Je n'ose pas le dire, tâtonne-t-elle. — Venir aux "Grandes Gueules" ? », l'aide son invitée. Brigitte Macron prend son courage à deux mains. Non, elle rêve… d'un tee-shirt des « GG » ! Quelques jours plus tard, dans les locaux de la station, on s'affaire pour dénicher l'objet du désir de cette groupie très en vue. « On a pris la plus petite taille », se souvient Claire O'Petit. Un tee-shirt gris à manches courtes que la chroniqueuse lui fait parvenir, avec sa carte de visite. Dès le lendemain, Brigitte Macron l'appelle pour la remercier.

C'est le début d'une relation chaleureuse. Les deux femmes se mettent à échanger régulièrement au téléphone pour se donner des nouvelles. Comme ce jour de l'été 2016, quand le couple quitte la forteresse de Bercy. Emmanuel Macron vient de démissionner pour se consacrer à temps plein à la conquête du pouvoir. En plein déménagement,

Brigitte Macron fait ses cartons. Pour l'occasion, elle a revêtu son tee-shirt des « GG » !

Madame petites blagues

Loin de son image très lisse, son expression n'est pas toujours aussi châtiée que dans les salles de classe où elle a jadis enseigné. En privé, elle peut même se montrer franchement grivoise. « Comme son mari, qui peut vous dire qu'il va poser ses couilles sur la table pour rigoler », lance un de leurs vieux amis. Ce parler cru se double d'un penchant surprenant pour l'humour salace. « Comme le président », poursuit un ministre, qui se souvient d'un déplacement de campagne particulièrement chahuté. Une sculpture « d'une forme un peu étrange » est offerte ce jour-là au candidat. Il s'en débarrasse prestement en la confiant à l'un de ses collaborateurs, qui passe sa journée affublé du curieux objet. Dans l'avion du retour, Emmanuel Macron le taquine à voix haute : « Il se promène partout avec son sex-toy, il a quand même des goûts très particuliers ! » Le candidat récidive à l'arrivée, cette fois devant les douaniers. « Je vous prie d'excuser mon collaborateur, il a des goûts un peu spéciaux... » Un humour décidément licencieux que Brigitte Macron affectionne tout autant. « C'est un diffuseur de bonne humeur. Elle est capable de faire des blagues assez crues. Ça ne lui fait pas peur. J'en ai entendu plusieurs à hurler de rire ! », claironne un conseiller de l'Élysée.

Elle sait aussi déclencher des fous rires en adoptant l'accent picard de sa région du Nord, le ch'timi, lors de ses déjeuners entre amis. « Uniquement quand son mari n'est pas là, pour rire, parce qu'elle est fière de ses origines », défend l'un des rares privilégiés à l'avoir entendue. On n'imagine aucune de celles qui l'ont précédée à l'Élysée tenir un tel rôle comique. La première dame n'est pas du genre tourmenté, mais plutôt joyeuse, d'humeur légère. « Elle est très chaleureuse, toujours souriante. Toujours nature et elle-même dans toutes les situations. Je ne l'ai jamais vue embarrassée », vante la ministre de la Santé Agnès Buzyn qui a effectué plusieurs visites à ses côtés. « Elle a cette fraîcheur des gens qui aiment la vie. Une espèce de jeunesse éternelle liée à son caractère », résume l'ancien ministre Renaud Dutreil.

Que de superlatifs déployés pour la décrire. Que d'émerveillement devant les gestes les plus anodins. Elle a toujours un mot gentil jurent les uns, le souci que chacun se sente à l'aise vantent les autres. Ses proches louent une femme prévenante et attentionnée, en distillant les anecdotes pour le prouver. Celle de cette soirée où, conviés à l'Élysée pour présenter leur film *Les Chatouilles*, les acteurs Karin Viard et Clovis Cornillac ont eu la surprise de la voir se diriger vers le buffet pour s'emparer des plateaux de fromage et de desserts avant de les transporter elle-même sur une table à l'extérieur, où tous se trouvaient. Intimidés par les lieux, les convives n'osaient pas se lever pour se servir. Elle n'a pourtant rien fait d'extraordinaire, juste porté quelques plateaux. Mais au Château, simplicité et attentions passent pour des actes de bravoure.

Les vestiaires de Loujniki

Coupe du monde oblige, l'été 2018, Brigitte Macron se mue en première supportrice de France. Une page d'anthologie se joue là, sous ses yeux, elle en a conscience. Le ballon rond, elle n'y connaît pas grand-chose et ne s'en cache guère. Elle n'est pas une spectatrice assidue des matchs du championnat et avoue ne mémoriser que la moitié des noms des Bleus, qu'elle peut écorcher par mégarde. Elle refuse de dévoiler l'identité de ses joueurs favoris, mais a un petit faible pour certains. « J'aime bien Olivier Giroud. Et Florian Thauvin, qui fait plein de choses bien pour les enfants des hôpitaux. Et Steve Mondanda [*sic*]. Et Kylian Mbappé, très sympa[1]. »

Ce sont les entraîneurs qui ont sa préférence. Elle se projette, évidemment. « Ce sont des profs. On le sent dans la manière qu'ils ont de s'adresser à eux. » Elle l'a constaté à Clairefontaine. Avant la compétition, elle passe quelques heures au centre d'entraînement de l'équipe de France avec le président. Jusqu'à ce que le sélectionneur Didier Deschamps envoie les joueurs au lit. « On dit au revoir au président et à la présidente, et on va à la sieste ! » Docile, l'élite du football tricolore s'exécute, devant un Emmanuel Macron ravi d'observer le collectif de près.

1. Entretien avec les auteures au palais de l'Élysée, 17 juillet 2018.

Son épouse suit avec attention l'épopée tricolore, au fil des victoires. Pour la demi-finale France-Belgique, la « First Lady » accueille le public à l'Élysée. Point de soirée mondaine, elle s'assoit à même la pelouse devant l'écran géant installé dans le jardin, avec sa fille Laurence et Sylvie Kohler, l'épouse du secrétaire général, tandis que Nemo s'ébroue au gré des actions des Bleus. En guise de tenue de cocktail, elle arbore le maillot porte-bonheur que lui ont offert les joueurs, floqué « B. Macron 24 ».

À Moscou, pour la finale contre la Croatie, elle profite de sa présence dans la capitale russe, qu'elle découvre pour la première fois, pour faire un peu de tourisme tandis que son époux échange avec Vladimir Poutine. Anonyme parmi les visiteurs de la place Rouge, avec pour seule compagnie un officier de sécurité, elle s'émerveille devant les bulbes colorés de la cathédrale Saint-Basile-le-Bienheureux, son parvis majestueux, ses clochers qui tutoient les nuages. Puis elle se rend dans le vrombissant stade Loujniki, pour assister à cette rencontre historique. En tribune officielle, les places ont été distribuées au compte-gouttes. Elle s'assied discrètement au deuxième rang, derrière le président. Gentleman, l'émir du Qatar Tamim al Thani, installé à la droite du Français, propose de lui céder son siège. Elle accepte volontiers, savoure ces passes mémorables des Bleus à la lutte pour décrocher leur deuxième étoile, vibre à l'unisson de son mari, en transe. Détrempé par une pluie diluvienne au moment du sacre, il embrasse les joueurs comme le ferait un père. L'époux de la présidente croate y voit un signe et lui souffle, en désignant les cieux : « Ce sont les dieux. »

Sous terre, à l'abri des caméras, la première dame vit un épisode épique de cette folle soirée. Elle est poussée par les officiers de sécurité du maître du Kremlin dans les entrailles du stade. « Je me suis retrouvée dans les vestiaires avec Vladimir Poutine ! Je n'étais pas du tout censée être là. Il n'y a pas de femmes normalement. Il y avait les petits, les familles, les épouses. » La présidente de la Croatie est présente aussi. La petite troupe transite d'abord par les loges des vaincus. « Les Croates, on avait envie de les consoler », s'émeut la Française. Avec les champions du monde, c'est l'explosion de joie. Florian Thauvin cherche partout sa mère pour faire une photo avec elles deux. Le jovial Paul Pogba lui fait toucher la précieuse coupe de la main. L'ambiance est à la fête. Brigitte Macron roule de grands yeux. « Ce n'était pas triste. Des chansons de carabin ! », s'amuse-t-elle.

Le plus captivant, pour elle, est d'observer son époux. Il irradie de bonheur. « Cela faisait longtemps que je ne l'avais pas vu comme ça. Authentiquement heureux. Il est fou de foot. Les seuls livres d'images qu'il a, ce sont les Panini, se remémore-t-elle. Si ça pouvait aider la banlieue, ce serait génial. » Comme lors de la précédente victoire des Bleus en 1998, quand la France s'était découvert une passion « black-blanc-beur ». La première dame marque une pause. Elle, si attachée aux lettres et à la transmission de l'amour des livres, s'interroge tout haut : « Pourquoi n'y a-t-il que le football qui génère cela ? Je n'arrive pas à comprendre. Je voudrais bien que des prix Nobel suscitent la même chose. »

La « première truffe de France »

La « présidente normale » aime les soirées de victoire, lire, rire, se divertir... Pour parachever cette légende tout en proximité, quoi de mieux qu'un chien ? Cela tombe bien, Brigitte Macron et son mari adorent les animaux. Indispensables outils de la communication présidentielle, nombre de canins ont déjà trotté dans les couloirs du Palais. À son tour, le couple décide d'en adopter un. Ils s'en ouvrent à Claude Chirac, lorsqu'ils rendent visite à ses parents. Elle leur recommande de s'adresser au refuge de la SPA d'Hermeray, dans les Yvelines, d'où vient son chien Eika. Quelques jours plus tard, ils rencontrent la directrice qui leur propose de prendre Nemo chez elle pour voir comment il se comporte. Avec ses petits-enfants, Brigitte Macron ne veut courir aucun risque. L'heureux élu, un labrador noir croisé griffon, passe le test et devient à son tour locataire de l'Élysée. « Ça y est, j'ai mon clébard ! », se réjouit le président. Lorsque Bernadette Chirac et sa fille viennent déjeuner avec la première dame quelques semaines plus tard, elles ont la joie de rencontrer l'animal. Détail savoureux : avant d'être parachuté dans les Yvelines, Nemo venait de la SPA de Tulle en Corrèze, le fief de François Hollande.

La « première truffe de France » prend ses quartiers dans l'aile Madame. Des admirateurs – il y en a – lui envoient un collier, qu'il porte toujours au cou : « Je m'appelle Nemo, j'habite à l'Élysée. » Rien de moins. D'autres fans lui adressent des croquettes et des boîtes de pâté en cadeau. Malgré ce traitement privilégié, le bâtard présidentiel est mal élevé. Il faut y remédier. Le chef de l'État n'a pas de temps à lui consacrer et, surtout, il est bien trop laxiste, à l'image de Jacques Chirac avec Sumo, son bichon favori. Des caméras de TF1/LCI l'immortalisent même piquant un fou rire tandis que l'animal urine sur une cheminée en marbre. C'est l'ancienne professeure qui s'attelle à son éducation. Elle sévit, inculque au canin l'étiquette qui sied. Au fil du temps, elle y parvient. L'animal devient enfin fréquentable. Un visiteur de la première dame s'étonne un jour de le découvrir si calme, après l'avoir autrefois vu infernal, sautant dans tous les sens. « C'est lui ?, s'enquiert-il en songeant à Macron. — Non, c'est moi », rétorque l'épouse. Nemo est enfin devenu un attribut irréprochable de la communication du pouvoir, à l'instar de tous ses prédécesseurs à quatre pattes. Les visiteurs le croisent souvent, somnolant, affalé sur la moquette. À l'Élysée comme dans n'importe quelle maison de France, aux pieds de sa maîtresse, parachevant le tableau si parfait de cette présidente normale.

7

L'arme de communication massive

Tandis qu'ils cheminent, solennels, vers le parvis de la cathédrale de Strasbourg pour commémorer la fin du centenaire de la Première Guerre mondiale, les Macron essaient de rester impassibles devant les caméras qui les épient. Le couple vient d'entamer dans l'Est, en cet automne 2018, un long déplacement pour tenter de reconquérir une opinion qui se détourne inexorablement du président. En découvrant cette banderole accrochée à la façade d'un immeuble, ils manquent d'éclater de rire : « Brigitte, viens donc boire un spritz. » L'invitation est révélatrice. Personne n'a eu l'idée de convier son mari. Des deux, c'est elle qui séduit.

L'épouse de cet homme devenu impopulaire incarne l'exact inverse de l'arrogance et du mépris. Pour nombre de Français, au début du quinquennat elle est son atout cœur, sa part d'humanité, son capital sympathie. En langage psychanalytique, son quotient émotionnel. Sur le moment, elle en sourit. Ces mots la touchent. Ce périple en terres alsaciennes est pour elle un retour aux sources. À l'époque où elle s'appelait encore Brigitte Auzière, du nom de son premier mari, elle a enseigné plusieurs années à l'établissement protestant Lucie-Berger. Chaque jour, elle prenait le volant de sa voiture depuis la commune de Truchtersheim, où ils vivaient avec leurs trois enfants, pour rejoindre son travail.

Le lendemain de leur arrivée, profitant d'un moment de répit, la première dame s'offre une marche du souvenir dans les rues de Strasbourg. Elle retourne devant son collège-lycée, repasse au pied de l'immeuble des facétieux riverains de la rue Mercière. La banderole est encore là. Absents, les plaisantins ne sauront pas qu'ils ont manqué de partager un café avec elle. Elle les aurait volontiers rencontrés.

« Où est Brigitte ? »

Par la grâce de son épouse, Emmanuel Macron est entré à vitesse fulgurante dans la vie des Français. Dès leur première apparition, la curiosité des médias est instantanément piquée. Ce couple est si singulier, tellement photogénique. Les ventes frémissent lorsque le sourire de madame réchauffe le papier glacé. Grâce à leur histoire, la politique fleure bon l'eau de rose. Après les affaires d'adultère, de séparation et de divorce des précédents acteurs du pouvoir, le récit a enfin l'allure d'une comédie romantique. Mieux, Brigitte Macron est une sexagénaire resplendissante qui parle aux lectrices des magazines. Cerise sur le flash des photographes :

avec son mari, ils sont démonstratifs, se donnent la main, se sourient, multiplient les gestes tendres. Cela change de François Hollande.

C'est une aubaine pour les paparazzis, qui ont été bien en peine d'immortaliser le président socialiste avec sa compagne, Julie Gayet, autrement que casqué. Avec les Macron, c'est la promesse d'images parfaites. L'épopée ne saurait être plus chevaleresque. À l'affiche, un adolescent tombé amoureux de sa professeure. Il la convainc de rompre avec son mari pour vivre le grand amour. Tous d'eux font fi de leur milieu, des convenances et de leur différence d'âge. Ensemble, ils conquirent le pouvoir et vécurent heureux. Quel scénario !

Sans compter sur un autre paramètre. Brigitte Macron ressemble aux Françaises. Baby-boomeuse, mère de trois enfants, grand-mère et épouse épanouie, heureuse d'avoir exercé un métier valorisé, le plus beau du monde. Les auteurs les plus inventifs n'y avaient pas songé, les Macron l'ont fait. Toutes les cases sont cochées pour accéder à la notoriété.

Être populaire, célèbre, tout cela est nouveau pour elle. Elle a bien connu une forme de notoriété dans sa carrière, devant les tableaux noirs, quand elle transmettait à ses élèves sa passion pour les lettres. « C'était la star, elle leur donnait l'amour des textes », se souvient le père d'un ancien disciple du lycée Franklin, dans le confortable 16e arrondissement de l'Ouest parisien. La bienveillance des foules, ces mains qui se tendent dans l'espoir de l'effleurer, ces admirateurs qui trépignent pour lui arracher un mot, ces sourires quand elle croise leur regard, c'est autre chose. Cela l'étonne encore.

Un an après son arrivée à l'Élysée, un premier sondage[1] la hisse quasiment au même niveau que Bernadette Chirac, appréciée par les deux tiers des Français. Loin devant le chef de l'État qui s'essouffle déjà. En ce début de quinquennat, il suffit qu'elle apparaisse, radieuse et silencieuse, sur l'une de ses visites sur le terrain pour qu'il retrouve les faveurs de l'opinion. L'effet est quasi mécanique, Brigitte Macron agit telle une réserve d'air pur, telle une arme de communication massive.

À l'orée de son mandat, le président trébuche dans les enquêtes d'opinion. Elle l'accompagne en visite estivale à l'hôpital parisien Robert-Debré puis, sept jours plus tard, accorde un entretien fleuve au magazine féminin *Elle* où elle évoque sa rupture avec sa vie d'avant, la douleur de ses enfants, les années qui la séparent de son époux. Brigitte Macron se livre avec une franchise déroutante sur le tandem qu'elle forme avec « Emmanuel » : « Bien sûr, on petit-déjeune, moi avec mes rides, lui avec sa fraîcheur, mais c'est comme ça. Si je n'avais pas fait ce choix, je serais passée à côté de ma vie. » Après ces confidences, la cote de popularité présidentielle se redresse. La première dame plaît, on se l'arrache. Près de trente millions de pages vues sur Internet pour son

1. Selon cette enquête Ifop pour *Paris Match*, publiée en juin 2018, 67 % des Français se déclarent satisfaits de Brigitte Macron.

entretien dans l'hebdomadaire et un record de ventes en kiosque jamais atteint depuis dix ans.

Lorsqu'elle est absente d'un déplacement officiel, le président essuie régulièrement des remarques agacées, comme en septembre 2018, lors de sa visite aux Antilles. Des mains, des joues se tendent sur son passage. Puis des voix se lèvent et l'interrogent, sur le ton du reproche : « Où est Brigitte ? » C'est cette femme en Martinique qui la réclame : « Revenez avec elle la prochaine fois ! Embrassez-la, elle nous manque. » Le refrain sera repris d'île en île.

De nombreux communicants se sont penchés sur les intrigants pouvoirs de cette femme. Qu'est-ce qui plaît tant aux Français ? Son style ? Le fait que les Françaises s'identifient à elle ? La différence d'âge avec son mari ? Sa présence silencieuse aux côtés de monsieur ? Brigitte Macron fait-elle rêver l'électorat féminin ? Combien d'épouses ont été quittées par leur mari, parti au bras d'une jeune créature ? Combien d'hommes mûrs sont fiers d'arborer de vertes conquêtes ? L'inverse est si rare. La sexagénaire fait figure d'exception. Elle est un étendard, la revanche de tant de femmes bafouées. « Il y a une solidarité des femmes avec elle. Beaucoup aimeraient être traitées par leur mari comme le président traite Brigitte », relève la secrétaire d'État chargée de l'Égalité entre les femmes et les hommes, Marlène Schiappa. Pour les seniors, elle est la preuve qu'une deuxième vie est possible, que le temps n'est pas fatalement un ennemi. « Elle porte la dignité des femmes seniors. Elle fait du bien à toutes les femmes de plus de

45 ans », salue la ministre du Travail, Muriel Pénicaud. Par contraste avec son jeune époux, elle est un gage de sagesse. « À côté du président, qui a une stature, une autorité forte, c'est rassurant pour les Français de voir une femme aussi campée dans le réel », achève la ministre de la Santé, Agnès Buzyn.

Qu'elles qu'en soient les raisons, la première dame assure ne pas comprendre les ressorts de sa renommée, et répète qu'elle n'a pas accompli de miracle, sauvé le monde, ni guéri de virus incurable : « Je ne m'explique pas pourquoi je suis populaire. »

La muette du sérail

Pour les téléspectateurs, elle est une image, plus rarement une voix. Un choix délibéré, pour partie. C'est elle qui a décidé qu'elle n'aurait pas de site Internet, ni de comptes sur les réseaux sociaux. Elle ne cherche pas à canaliser les multiples sites de fans qui y fleurissent. « Il y a tellement de sites, les gens me disent : "Quel est le tien ?" J'avais envie d'avoir un site sur Instagram pour dire ce que je fais et mettre des photos, mais pas de répondre[1] », nous explique-t-elle, bluffée par l'aisance de son homologue américaine sur ces nouveaux médias.

À la différence de Melania Trump, en termes de communication, Brigitte Macron marche sur un fil. Si les Français l'apprécient, ils ne veulent pas de

1. Entretien avec les auteures au palais de l'Élysée, 20 juin 2018.

première dame trop présente. « Elle est discrète, elle a raison. Il ne faut pas s'exposer », soutient la socialiste Ségolène Royal. Elle ne le fait donc pas. Contrairement à son mari, sa parole est très rare.

Revers de la médaille de ce mutisme volontaire : lorsque le président chute brutalement, il l'entraîne dans son sillage, dans une métaphore inversée des premiers de cordée. Après l'été meurtrier marqué par l'affaire Benalla et la rentrée catastrophique de l'exécutif avec ses démissions en cascade, elle vacille de 15 points dans les sondages, à l'unisson de son époux[1]. Ils ont vaincu et connu l'état de grâce ensemble, ils chancellent de concert.

Comme lui, elle feint de mépriser les chiffres. « Mon baromètre, ce n'est pas le nombre d'élèves qui obtiennent le bac, mais ceux qui réussissent après », professe-t-elle.

En Macronie, nombreux sont ceux qui ne comprennent pas pourquoi l'Élysée ne la pousse pas davantage sur le devant de la scène. « Ils se trompent de ne pas plus l'utiliser !, tempête l'ancien ministre de l'Intérieur Gérard Collomb. Elle fait de la publicité au président. Elle le fait comme elle sait le faire, c'est-à-dire sans excès. » « Bien sûr qu'elle est un atout, il n'y a aucun doute. Plus les Français vont la connaître, plus ils vont l'aimer », plaide un vieil ami des Macron.

---

1. Selon une enquête Ifop pour *VSD* diffusée en octobre 2018, la première dame recueille 52 % de satisfaction auprès des Français.

Dans l'entourage du président, la discrétion contrainte de la première dame est parfaitement assumée. « On a essayé, on a arrêté », résume, tranchant, un conseiller du chef de l'État. Et si c'était elle, pourtant, qui l'avait mené jusqu'aux portes du pouvoir et l'avait sacré président en le faisant entrer dans le cœur des Français, à force de couvertures dans les magazines ?

Un intime va plus loin : « Il lui doit tout. S'il est président, c'est grâce à elle. » Une thèse très largement partagée parmi les connaisseurs de la vie politique, qu'ils soient élus, ministres, conseillers ou communicants. Parce qu'elle lui a permis d'entrer dans les maisons des Français « grâce aux salons de coiffure », pointe avec une once de mépris un collaborateur du président. Pour ce qu'elle incarne aussi, Brigitte Macron rend crédible la candidature « antisystème » d'un pur produit de la méritocratie française, énarque, banquier d'affaires qui plus est. Sans elle à ses côtés, nulle transgression, la ligne « anticonformiste » ne fonctionne pas. Sans elle, Emmanuel Macron est si lisse, un jeune homme si parfait, sans la moindre aspérité.

« C'est peut-être la seule femme de président qui a contribué à l'élection de son mari », analyse un important responsable politique, qui exige l'anonymat le plus complet. Un expert du storytelling va plus loin : « Le nouveau monde, la modernité, c'est elle. Lui était déjà vieux quand il avait 20 ans. Elle est le quotient émotionnel, il est le quotient intellectuel. Or le cerveau intègre les choses par l'émotion. C'est cela qui attire l'attention. »

Pacte faustien

« Ensemble sur la route du pouvoir. Brigitte et Emmanuel Macron. Elle se confie en exclusivité à *Paris Match*. Les photos de leur album intime. » Ce 14 avril 2016, dans les pages de l'hebdomadaire, que de clichés attendrissants. Le ministre de l'Économie donne le biberon à un bébé. Le ministre de l'Économie câline son chien. Le ministre de l'Économie embrasse sa femme devant des cimes enneigées. Cette offensive médiatique survient huit jours après le lancement de son mouvement politique. La mise en scène de la vie privée comme marchepied vers le pouvoir. La technique, éculée, est bien connue de ceux qui rêvent d'être élus.

François Hollande le sait, lui qui, en campagne, a usé du même stratagème avec sa compagne Valérie Trierweiler. Reclus dans son Palais, le président socialiste s'étrangle et somme l'audacieux de s'excuser. Depuis Londres où il se trouve en déplacement, Macron botte en touche, avec la mine du garnement pris en flagrant délit de sottise. D'ailleurs il le dit, ces confessions sont « une bêtise » ! Non, il ne s'agit pas d'une opération concertée. « Mon épouse, elle ne connaît pas le système médiatique, elle regrette d'ailleurs profondément », explique très sérieusement le ministre, laissant entendre qu'elle aurait agi de son propre chef, sans le consulter. « Mon couple, ma famille, ce sont les choses auxquelles je tiens le plus. Ce n'est pas une stratégie de l'exposer. C'est sans doute une maladresse. Je l'assume pleinement et ce ne sera pas une stratégie que l'on reproduira. »

Qu'importe le mea-culpa, les ventes de *Paris Match* bondissent de 50 %. La popularité de Macron décolle. Ce numéro est-il vraiment fortuit ? « Il nous a vraiment pris pour des cons », juge un ancien collaborateur de François Hollande. Tant pis pour les promesses, ils vont jouer à plein la carte de l'exposition médiatique.

C'est ainsi que Michèle Marchand est entrée dans leur vie. Les Macron se laissent bercer par plusieurs amis qui vantent l'expertise de cette femme à la réputation sulfureuse, reine autoproclamée des paparazzis, que tous surnomment « Mimi ». À la tête d'une agence de photos, Bestimage, l'une des plus importantes en France, la septuagénaire connaît tout des arcanes de la presse people. Elle sait être précieuse aux célébrités qui veulent la paix et la jugent « formidable ».

Lors d'un dîner où Brigitte Macron se plaint de ces chasseurs d'images qui la traquent sous ses fenêtres, Xavier Niel, puissant patron des télécoms, lui propose d'organiser une entrevue avec cette intrépide *businesswoman*. Rendez-vous est pris dans son hôtel particulier, un samedi du printemps 2016. Entre les deux femmes, le courant passe aussitôt. « Mimi » a tout pour lui plaire : transgressive, audacieuse, accessible. Un profil interlope étrangement séduisant. Elle prend l'image du couple en main.

Ainsi se scelle ce pacte gagnant-gagnant : à elle les accès privilégiés et les exclusivités ; à eux la tranquillité, moyennant quelques photos bienveillantes et posées.

Au même moment, une rumeur se propage dans les dîners mondains. Elle enfle, s'amplifie, se répand dans les rédactions, affole le Tout-Paris. Chacun la répète avec un air de comploteur, mi-outré par cette intrusion dans la vie privée d'un homme public, mi-excité par la possibilité d'un tel rebondissement : le ministre de l'Économie serait homosexuel. Il se murmure même que des clichés l'attestant existeraient. « Mimi », qui a l'oreille de madame, lui fait comprendre qu'elle ne doit pas se cacher. Se montrer serait un bien meilleur bouclier. Oui, ils forment un couple singulier ; oui, ils sont amoureux. Leur union serait plus facile à comprendre si les Français voyaient à quel point elle est séduisante. Pour vivre heureux, vivons photographiés !

L'opération coquillages et crustacés va bientôt être déclenchée. L'été tombe à point nommé. Les Macron se trouvent à Biarritz en vacances, en août 2016. Les paparazzis les pourchassent. Au téléphone, elle se désole auprès d'un ami : « C'est l'horreur, on voulait être tranquilles et on ne peut pas sortir, c'est la cata. Il y a plein de photographes partout. » « Mimi » a une idée : pourquoi ne pas tourner cet appétit à leur avantage à tous les trois ? Faire taire les rumeurs sur la prétendue homosexualité de monsieur en étrennant le corps de madame. Avec des clichés faussement volés que son agence réaliserait, bien évidemment. Brigitte Macron hésite. « Mais arrête, tu es super bien foutue ! », la rassurent ses proches. Va pour la paparazzade organisée. À la une de *Paris Match*, l'épouse du ministre de l'Économie s'affiche en maillot de bain une pièce, main dans la main avec son mari.

Michèle Marchand sera, durant toute la campagne, un rouage essentiel du dispositif. Et peu lui importe qu'on la suspecte d'avoir alimenté les rumeurs sur l'homosexualité supposée du candidat et d'avoir piégé sa femme en instrumentalisant ses complexes. Les vedettes amies de « Mimi », qu'elle a épaulées à des moments charnières de leur carrière, la défendent. « Elle en prend plein la tête. Tout le monde dit qu'elle gagne beaucoup d'argent avec eux, c'est faux, et qu'elle retouche les photos, c'est faux. Elle a été là dès le début, leur montrait les photos avant diffusion, c'est normal. Elle a été correcte. Elle a été essentielle au départ au niveau de la com pour les protéger », plaide vigoureusement l'un de ses vieux complices.

Il n'empêche. Quand ses deux protégés arrivent à l'Élysée, les choses se gâtent. « Mimi » devient moins fréquentable. Le profil de cette petite dame au regard de chouette, passée par la case prison en détention préventive, ancienne tenancière de boîte de nuit, est jugé peu compatible avec la geste jupitérienne. Elle agace à l'Élysée, où l'on ne supporte pas qu'elle puisse se présenter comme la conseillère de Brigitte Macron. Contrairement à une rumeur tenace, elle n'est pas membre de son cabinet. Ce serait un scandale. Un patron de presse ne pouvant être juge et partie, la présidence pourrait être accusée de favoritisme.

Les collaborateurs de la première dame la reçoivent tout de même, une fois par mois environ, pour échanger avec elle. Elle conserve un rôle d'alerte et les prévient des photos qui s'apprêtent à sortir. Parfois, elle pousse son avantage, essaie de tirer parti de sa relation avec Brigitte Macron. L'été 2018, elle propose ainsi de faire des photos des vacances à Brégançon. « Pour tuer le marché », plaide-t-elle sans ciller. Refus catégorique de l'Élysée, qui se prévaut de ne plus lui accorder le moindre avantage. Michèle Marchand n'a pas vraiment apprécié cette fin de non-recevoir. Le cordon de sécurité installé entre elle et les Macron n'arrange pas ses affaires. Elle en a vu d'autres et sait rebondir. Un jour *persona non grata*, le lendemain de nouveau en cour, toujours dans l'ombre.

8

En scène !

Une berline grise franchit l'imposante grille du 55, rue du Faubourg-Saint-Honoré. Des gendarmes en tenue d'apparat ouvrent les portières arrière, en un ballet millimétré. Ce 14 mai 2017, Emmanuel Macron fait son entrée officielle à l'Élysée. Les trompettes et les tambours de l'orchestre de la Garde républicaine sonnent les trois coups. Sur le tapis rouge qui le conduit au perron du pouvoir, celui qui s'apprête à endosser le costume de chef de l'État chemine à pas très lents, l'air compassé. Il lui faut plus d'une minute pour franchir les quelques mètres qui le séparent de la poignée de main de son futur prédécesseur. François Hollande n'avait mis que trente secondes pour effectuer le même trajet. Le nouveau président veut jouer le contre-pied, tout en solennité. Cette marche tranquille du vainqueur a été mise en scène. Des foulées calmes pour adopter l'allure du roi prenant possession de son palais. Cette première chorégraphie d'une représentation conçue pour durer cinq ans, il l'a soigneusement répétée avec son épouse. Brigitte Macron, sa souffleuse, sa répétitrice.

Les feux de la rampe

Le théâtre n'est-il pas le fil conducteur de leur histoire ? Il faut remonter vingt-cinq ans plus tôt, au lycée La Providence, à Amiens. À l'époque, Brigitte Auzière anime un club où elle initie les élèves de cet établissement catholique aux joies des planches, en marge de ses cours de lettres et de latin. Un élève de seconde, cultivé et curieux, s'inscrit à son atelier en 1992. Il n'est pas comme les autres. « Il y a un fou dans ma classe, il connaît tout sur tout[1] », lui raconte même sa fille Laurence Auzière. En fin d'année, l'apprenti comédien interprète un épouvantail dans *La Comédie du langage*, de Jean Tardieu. Il brille sur scène, sous le regard de sa professeure. À la rentrée suivante, Emmanuel Macron lui confie son désir d'adapter une pièce, *L'Art de la comédie*, de l'Italien Eduardo De Filippo, récit d'une improbable rencontre entre un saltimbanque et un préfet. Un problème se pose : il y a moins de rôles dans l'œuvre que d'élèves dans l'atelier. Qu'à cela ne tienne ! Flamboyant, le jeune Macron lui propose de créer ensemble, à quatre mains, une dizaine de personnages. C'est en façonnant cette fiction au domicile familial des Auzière, les vendredis soir,

1. Caroline Derrien et Candice Nedelec, *Les Macron*, Fayard, 2017.

que leurs âmes se rapprochent. Ils lient leurs destins en composant une adaptation libre de l'œuvre italienne, à laquelle ils ajoutent leur empreinte. « On a écrit, et, petit à petit, j'étais totalement subjuguée par l'intelligence de ce garçon[1] », confie-t-elle des années plus tard. « La pièce écrite, nous décidions de la mettre en scène ensemble. Nous parlions de tout. L'écriture devint un prétexte. Je découvrais que nous nous étions toujours connus[2] », évoque-t-il de son côté.

La première de *L'Art de la comédie* est donnée au printemps 1994 à la Comédie de Picardie, théâtre du centre-ville d'Amiens. « Une pièce d'Eduardo De Filippo adaptée par Emmanuel Macron », proclame l'affiche. Le nom de Brigitte Auzière, qui l'a mise en scène, apparaît plus modestement. Qu'importe, c'est leur œuvre commune, la première.

Faut-il y voir un signe ? Sur scène, les apprentis acteurs offrent un jeu de miroirs troublant où le spectateur peine à démêler le vrai du faux, sans savoir qui joue la comédie du théâtre et celle de la vie. Une pièce fondatrice, comme un condensé de la grande histoire qu'ils interpréteront tous les deux des années plus tard, au sommet de leur notoriété, une fois installés à la tête de l'État. Ils aiment l'ombre des coulisses, les jeux de rôles, l'art de la

1. Documentaire de Pierre Hurel, *Emmanuel Macron, la stratégie du météore*, Chrysalide Productions, 2016.
2. Emmanuel Macron, *Révolution*, XO, 2016.

mise en scène, des jolis mots, la lumière des projecteurs, voir leurs noms, là, en haut de l'affiche...

Impossible de cerner ce couple sans prendre en compte cette passion toujours vivace depuis les premiers émois amiénois, constitutive de leur manière d'être.

Fait méconnu, l'élève a aussi joué les maîtres, le temps d'une saison, dans les pas de sa compagne. Étudiant à l'ENA, prestigieux établissement strasbourgeois où les têtes bien faites apprennent les rouages de l'État, il vient de faire sa rentrée. Ses camarades de classe l'attendent à dîner. Dans la promotion, Emmanuel Macron passe pour un solitaire, tout sauf un chef de meute. Il est en retard. Un camarade le cueille : « Qu'est-ce que tu foutais ? » Le retardataire explique qu'il était à un cours de théâtre. Son interlocuteur est scié. Délaisser un repas avec les membres de cette promotion si prometteuse pour jouer les ménestrels. « Tu prends des leçons ?, interroge l'ami, aussi surpris que curieux. — Non, je les donne ! Brigitte a enseigné dans la région et conservé pas mal d'amis et d'élèves. Je suis allé leur donner un cours », explique-t-il simplement.

« Je mets mes stilettos, j'entre dans le costume »

Brigitte Macron, elle, a toujours préféré le clair-obscur de l'arrière-scène. C'est là que les personnages prennent vie, que les histoires prennent forme. Elle a enseigné l'art du jeu pendant de longues années, en retrait, cachée. C'est à elle qu'il revient désormais de monter sur scène et de mettre en pratique ses propres leçons.

Au fil de l'ascension politique de son mari, elle doit apprivoiser la lumière en devenant une personnalité publique de premier plan, épouse de ministre, de candidat, puis du chef de l'État. L'exposition médiatique fait partie de son quotidien. Un rôle très lourd à porter, bien qu'elle jure ne pas interpréter un personnage en permanence.

« Là, je suis dans mon jean, avec mes boots, je ne suis pas première dame. C'est moi, Brigitte ! », veut-elle croire un jour que nous la croisons à l'Élysée. Pourtant, alors qu'elle nous livre ses pensées dans un des bureaux de l'aile Madame, le décor qui l'entoure dit tout le contraire. Les somptueuses peintures au plafond, les parois moulurées, le personnel à son service. Héroïne d'une œuvre qu'elle a en partie composée, actrice de la comédie du pouvoir, où elle occupe une place à part, perchée sur ses talons vertigineux qui la font souffrir, sourire arrimé au visage, elle endosse son costume : « Je mets mes stilettos, mes collants, ma robe et j'entre dans mon rôle, j'y suis. Dans ma tête, je suis dans le rôle de première dame[1]. »

Les feux de la rampe l'effraient. Elle a le trac. C'est en tout cas ce qu'elle prétend. « Être sur scène, ce n'est pas mon truc. Je n'aime ni la lumière ni les caméras. Je n'ai jamais joué un rôle, j'ai horreur

1. Rencontre avec les auteures au palais de l'Élysée, 20 juin 2018.

de ça », glisse-t-elle sur le ton de la confidence. Les seules planches où elle a longtemps brillé sont ses salles de classe, à La Providence ou à Franklin, avant que son époux ne se mette en marche.

Lors d'une déroutante mise en abyme, Brigitte Macron interprète pourtant son propre personnage de première dame dans la série humoristique « Vestiaires » diffusée sur France 2 à la rentrée 2018. Elle accepte, pour la bonne cause : actrice d'un jour, elle offre ainsi un coup de projecteur à cette fiction consacrée au thème du handicap qui lui est cher, le temps d'un épisode de moins de trois minutes. Comédienne malgré elle, mais comédienne tout de même. Le tournage a lieu dans un studio de Bègles, près de Bordeaux. Très fier, son époux visionne le résultat avant la diffusion sur France 2. « Le trac va toujours avec le talent », a-t-il coutume de dire, lui qui emprunte si souvent au vocabulaire de la scène. « Alors, qu'en pensez-vous ? nous demande-t-elle, empressée. C'était douloureux, mais ça en valait la peine, elle est super, cette série ! »

La souffleuse

Son rôle favori ? Répétitrice de son mari. Emmanuel Macron aime briller dans les yeux de sa femme. Pour perfectionner sa partition, il compte sur son regard acéré, comme au temps du club de théâtre d'Amiens. Ses commentaires sont précieux. Implacable, elle le critique, le corrige.

Dès le début de l'aventure électorale, alors que la campagne s'esquisse à peine, elle est présente, au pied de la scène de la Maison de la Mutualité en ce 12 juillet 2016, pour l'aider à préparer sa première grande intervention politique[1]. Avant ce discours capital, elle saisit le texte qu'il va prononcer, s'installe sur une chaise, chausse ses lunettes, rature la copie au feutre, questionne les collaborateurs qui l'ont rédigé : « Comment on passe de là à là ? Pourquoi ce n'est pas une autre partie ? J'ai un peu de mal à voir le cheminement… » Elle semble contrariée. « Qu'est-ce qu'il y a, chérie ? Des trucs trop longs, encore ? », interroge Macron. Elle acquiesce, passablement agacée : « Oui, oui. En plus, si tu parles comme ce que tu m'as fait hier, à toute allure, on est partis pour une heure et demie, ce n'est pas possible. » Elle obtient gain de cause, le texte est ramassé.

Elle est encore là lorsque son ancien élève entame les répétitions. « N'attaque pas trop ! », recommande-t-elle. « Si, il faut scander, réplique-t-il. Le pire des trucs, c'est la monotonie. » Cette fois, monsieur n'est pas d'accord. Autour d'eux, les conseillers font silence : on n'interrompt pas une leçon magistrale.

Brigitte Macron est la première qu'il consulte, celle dont il cherche l'approbation en toute circonstance. C'est leur mode de fonctionnement. « Chérie, t'as bien aimé ou pas ? », lance-t-il à sa femme à peine sorti du plateau où vient de se dérouler le premier

1. Documentaire de Pierre Hurel, *Emmanuel Macron, la stratégie du météore*, *op. cit.*

débat avant le premier tour de la présidentielle, le 21 mars 2017[1]. « Oui, mon cœur », se contente-t-elle de lui répondre, esquivant volontairement. Emmanuel Macron revient à la charge, son avis compte, il l'attend. Il le cherche autant qu'il le craint, puisqu'elle lui dit tout franchement. « Ça veut dire que t'as pas aimé », redoute-t-il. L'ancienne enseignante lui rappelle la règle du jeu : « Il y a un principe, c'est que je te parle tout seul. Chéri, on parle à deux, tu le sais. »

Les deux corps de la reine

Devenus président et première dame, les Macron font entrer les arts vivants au Palais, avec le rendez-vous mensuel des « soirées de l'Élysée ». Dans la salle des fêtes, sous un tourbillon de dorures, concertistes et chanteurs se produisent devant le personnel, des associations, des enfants invités pour l'occasion. « Depuis le général de Gaulle, il y a eu peu de concerts, explique le chef de l'État en introduisant l'une de ces représentations. Avec Brigitte, nous voulions renouer avec cette tradition. » Ce soir-là, Emmanuel Macron omet de préciser qu'il compte lui aussi se donner en spectacle.

Fait inédit, le 1er mars 2018, le chef de l'État se glisse dans le costume du récitant de *Pierre et le Loup*, le conte musical de Prokofiev, devant deux cents invi-

1. Documentaire de Yann L'Hénoret, *Emmanuel Macron, les coulisses d'une victoire*, 3e œil Productions, 2017.

tés. Statique dans son costume sombre, il est la seule voix humaine de cette symphonie classique. Dans les pas de Fernandel, Jacques Brel, Charles Aznavour ou encore Eddy Mitchell. Sans oublier ceux, plus lointains, d'un jeune monarque, Louis XIV. Féru de danse, le Roi-Soleil aimait se donner en spectacle. Pendant son règne, il a pris part à plus de vingt ballets de Cour. Au-delà du plaisir de se mettre en scène, ces représentations sont à l'époque de véritables instruments de propagande au service de la monarchie, pour souligner l'autorité absolue du souverain et son rayonnement.

Jouent-ils la comédie constamment ? Quand sont-ils sincères ? Ceux qui ont côtoyé Emmanuel Macron dans son ancienne vie n'ont guère de doute. « Je ne le reconnais pas du tout. Comme ami, ce n'était pas un leader. Il n'était jamais dans la dispute, le conflit. Je ne me suis quasiment jamais engueulé avec lui. Ce n'était pas du tout un mâle alpha, à imposer ses points de vue », jure l'un de ses anciens condisciples à l'ENA, stupéfait du contraste entre le camarade « hyper sympa et empathique » qu'il a connu et « ce président qui parle des premiers de cordée, de la théorie du ruissellement, de ceux qui ne sont rien ». Et le même de livrer cette analyse sur le couple Macron : « Si on n'a pas la clef de lecture du théâtre, on ne comprend rien. »

Ni à son épouse, qui cite si souvent Marivaux, prolifique dramaturge du XVIIIe siècle dont les comédies auraient toutes pu se jouer dans ce palais si propice aux coups de théâtre et aux portes qui claquent.

Il y a une autre clef. L'un des livres fétiches du président est un ouvrage de philosophie politique, *Les Deux Corps du roi*, d'Ernst Kantorowicz. Dans ce texte, l'auteur explique que le roi dispose de deux corps, l'un public et l'autre privé. À la vue de ses sujets, le monarque doit incarner la majesté, interpréter, tel un acteur. Un rôle que le vainqueur de la présidentielle a commencé à jouer dès le soir de son sacre, dans la cour du palais du Louvre, adoptant, pour la première fois, cette démarche si lente.

Brigitte Macron, elle, est d'abord restée en retrait, dans l'ombre, comme avant. Elle a dû le rejoindre sur scène pour saluer la foule et chanter *La Marseillaise*. Saisie par l'instant, extrêmement solennelle à l'heure de s'emparer de son personnage et de devenir première dame. L'un de ses amis, grand amateur de théâtre, confirme, sourire amusé : « Quand elle arrive dans une pièce pour un moment officiel, elle n'a pas le même visage que lorsqu'on la voit en privé. » Brigitte Macron aussi s'est emparée du corps de la reine.

TROISIÈME PARTIE

Conseillère spéciale

9

Maîtresse des horloges

Un coup d'œil par le hublot. « Chic, il y a Brigitte ! » Quand ils l'aperçoivent, sortant de la Peugeot 5008 présidentielle blindée sur le tarmac du pavillon d'honneur d'Orly, les ministres respirent et s'enfoncent avec délice dans leur moelleux fauteuil en cuir crème. Ils vont pouvoir souffler le temps du vol, fermer les yeux et, qui sait, lire un peu. Sa présence est l'assurance que le voyage ne tournera pas au marathon. Lors de leurs périples au bout du monde avec Emmanuel Macron, à bord de l'A330 de la République aux couleurs tricolores, leur confort varie considérablement selon que la première dame fait partie ou non de la délégation. Combien d'entre eux ont débarqué de l'appareil complètement épuisés au petit matin avant d'entamer une visite, le visage chiffonné et la tenue froissée, après une nuit à travailler dans le bureau volant du président, incorrigible couche-tard ? Les ministres de la Santé et de l'Éducation, Agnès Buzyn et Jean-Michel Blanquer, ont ainsi passé une nuit blanche dans le vol qui les conduisait vers les Antilles, ravagées par l'ouragan Irma, en septembre 2017. Le chef de l'État, soucieux d'éteindre la polémique naissante sur la gestion de la crise, les a tenus éveillés jusqu'à 5 heures du matin. Ils n'ont dormi, ou du moins essayé, que trois quarts d'heure. L'avion a atterri à Pointe-à-Pitre, en Guadeloupe, à 5 h 45...

«Fous-leur la paix!»

«On rit quand on part en voyage officiel. Si elle n'est pas là, on sait qu'on va travailler jusqu'à 4 heures du matin. Mais quand elle vient, à 23 heures ou minuit, le président regagne ses pénates. Ce n'est pas juste une question de sommeil, insiste un ministre, qui réclame le off afin de ne pas passer pour un tire-au-flanc. Il y a plus. Quand Brigitte Macron est là, elle met du liant. Ce n'est pas que le président n'est pas chaleureux, mais avec elle on rigole, l'atmosphère est plus détendue. Elle vient à l'arrière papoter dans le carré des ministres, elle instille de la bonne humeur. C'est quelqu'un d'assez farceur.» Brigitte Macron, agent d'ambiance et ralentisseur officiel du rythme présidentiel. Elle oblige son mari à faire des pauses, lui qui pourrait travailler sans s'arrêter d'ingurgiter des notes de conseillers. «Elle est utile à la République, à sa façon», vante, très sérieusement, le communicant et stratège Philippe Grangeon.

À l'Élysée, comme du temps de la campagne, elle dispose d'un droit de veto sur l'agenda. «Laissez-le souffler ! », impose-t-elle lorsque les réunions s'enchaînent à un rythme effréné. Lancé à toute allure, ce quinquennat menace de tordre les hommes, de casser les corps et briser les esprits les plus solides. Entre deux rendez-vous, la première dame a obtenu qu'un « temps réservé » soit programmé pour leur laisser à tous deux du répit, quelques minutes grappillées afin de se retrouver. Gardienne sourcilleuse du sommeil de son époux et de la santé des équipes, elle peut interrompre d'autorité une réunion de travail le soir parce qu'elle leur trouve à tous les traits tirés. Elle repère tout de suite quand son mari est à cran et envoie alors tout le monde au lit d'un comminatoire : « On va se coucher ! »

Elle déteste le voir énervé. Cela arrive souvent. La vie au Palais va au rythme des humeurs du président, qui peuvent anéantir le moral d'un conseiller et réjouir ses rivaux, trop heureux d'être les témoins privilégiés de la disgrâce d'un de leurs congénères. « Je fais tout, je ne peux pas faire plus ! », les houspille-t-il, frustré par les lourdeurs de l'appareil d'État et l'accouchement dans la douleur des réformes. « Dans sa bouche, ça veut dire : "Je suis entouré de branquignols." », traduit un membre du cabinet. L'état d'épuisement avancé des troupes est devenu l'un des combats quotidiens de la première dame. Elle ferraille contre le président pour qu'il en finisse avec sa manie d'envoyer des textos aux aurores. « Cet homme est fou ! Il est habité, il se dit qu'il a une mission… », grommelle un intime, qui reçoit régulièrement des messages à 3 heures du matin. Parfois, les textos arrivent plus tôt. C'est l'effet

Brigitte. Hélas, cela ne dure jamais bien longtemps, les portables se remettent à crépiter au beau milieu de la nuit.

Elle n'a pas renoncé non plus à lui faire raccourcir ses discours. Sans davantage de succès. Un sujet devenu, entre eux, matière à plaisanterie. Au printemps 2018, sur la route qui les conduit au collège des Bernardins, près de la Mutualité, où le président doit prononcer un grand discours sur les religions, il lui promet, l'air docte : « Je ne vais faire qu'une heure. » Avant de monter sur scène, surprise, il lui murmure : « Je t'ai bien eue ! Je vais faire deux heures, en fait... » Son épouse lui offre une mine déconfite. Puis, malicieux, en descendant de l'estrade : « Tu as vu, Brigitte, j'ai prolongé le discours exprès pour toi. »

Victimes consentantes du stakhanovisme présidentiel, les collaborateurs de l'Élysée plébiscitent les efforts de la première dame pour alléger leur charge. « Quand on se tape huit heures d'avion à enfiler les réunions, elle lui dit : “Laisse-les dormir, fous-leur la paix !” Le problème ici, c'est la fatigue. On enchaîne. Elle a ça en tête. Ce n'est pas qu'une femme gentille qui fait attention à nous. Non, comme tous les bons managers, elle a compris que, quand on est bien, on travaille bien », témoigne un membre du cabinet soumis à une pression maximale, qui avoue avoir déjà eu envie de la serrer dans ses bras dans un élan de gratitude.

Les « petites mains » adorent Brigitte Macron qui, à l'instar d'une DRH, veille à ce que chacun ne parte pas trop tard le soir, prend des nouvelles des enfants et s'assure que les jours de congé sont bien posés. Un jour qu'elle découvre qu'un employé du Palais travaille sans interruption depuis un mois, elle le convoque, fait mine de le réprimander et le place en repos forcé : « Ce week-end, je ne veux pas vous voir ! Il faut que vous preniez soin de votre maison, sinon un jour vous allez rentrer chez vous et vous trouverez vos valises devant la porte. » Dans le couple, c'est elle qui fait naturellement preuve d'humanité, spontanément plus soucieuse du bien-être de son prochain. « Les gens comme Macron vont vite et sont souvent agacés de voir que les autres ne sont pas aussi rapides, d'où les critiques sur son manque d'empathie. C'est elle qui lui dit : "Attends les gens, prends le temps, ne laisse personne à la remorque." Elle est la professeure qui a eu de bons et de mauvais élèves et qui ne s'intéresse pas seulement à ceux qui suivent bien, mais aussi à ceux assis au fond de la classe », décode le chiraquien Renaud Dutreil.

Un havre de paix, aux portes de Paris

C'est elle qui a imposé qu'Emmanuel Macron passe le week-end loin de l'Élysée, dans une belle maison cachée dans la forêt. La Lanterne est l'un des secrets les mieux gardés de la République, l'unique résidence officielle jamais ouverte au public, même lors des Journées du patrimoine. Tout survol du domaine est interdit, et les curieux sont cantonnés à l'extérieur de la lourde grille d'entrée, surmontée de deux imposantes statues de cerfs à hauts ramages. Lorsqu'on évoque cette bâtisse édifiée en bordure du château de Versailles en 1787, deux ans avant la Révolution française, la réponse en haut lieu est toujours la même, main sur le cœur : « C'est resté dans son jus. » En ces temps de disette budgétaire, il est essentiel de minorer la beauté des lieux. « C'est joli, mais vieillot. Ce n'est pas Versailles », certifie un conseiller, qui a eu le privilège d'y être convié. Façon pudique de ne pas attiser les convoitises. L'endroit, qui a bénéficié de plusieurs rénovations, est pourtant tout ce qu'il y a de plus charmant. Avec, en prime, tout le confort moderne, écrans plats compris, installés du temps de Nicolas Sarkozy.

Une fois passée l'entrée dallée en travertin à cabochons noirs, les heureux invités accèdent à deux salons coquets, meublés dans le style Louis XV, où des bouquets de fleurs ornent d'élégantes consoles en marqueterie. Sous les hauts plafonds moulurés d'un blanc éclatant, la lumière irradie des trente-six fenêtres qui transpercent la façade. C'est de là que vient l'appellation du lieu, fabuleusement lumineux.

Au rez-de-chaussée, on se love dans de généreux canapés XVIIIe, aux motifs fleuris rose et blanc, en admirant des tableaux de maître. Les chambres à coucher, cinq en tout, avec salles de bains privatives, se situent à l'étage. Celle du couple présidentiel a longtemps été agrémentée d'une toile de Delaunay, surmontant le lit couleur vieux rose. Le neveu d'André Malraux, ancien ministre de la Culture, qui y a résidé, avait coutume de dire : « Ici, vous êtes le colocataire de Louis XIV, de Dieu et du Soleil. »

La villa, encadrée de majestueux arbres centenaires, a vu passer bien des secrets d'État et autres scènes de la vie quotidienne du pouvoir. Mazarine Pingeot, la fille cachée de François Mitterrand, montait à cheval dans le parc. Tennisman émérite, Lionel Jospin y peaufinait son coup droit. Nicolas Sarkozy a composé son premier gouvernement et passé sa nuit de noces avec Carla Bruni. Valérie Trierweiler s'y est remise de sa séparation.

À une demi-heure de Paris avec escorte à gyrophare et sirène deux-tons, la Lanterne a tout pour plaire à Jupiter, si sensible aux attributs monarchiques de sa présidence. Certes, la partie privée centrale ne fait, si l'on ose dire, que deux cents mètres carrés. Les deux ailes du bâtiment sont réservées, pour l'une, aux cuisines et au couple de gardiens, logés sur place ; pour l'autre, à la sécurité, assurée par la Garde républicaine. La propriété de quatre hectares jouit en revanche d'une piscine de dix-neuf mètres par dix et d'un court de tennis. De luxueux équipements, aujourd'hui relativement défraîchis, installés à grands frais par Michel Rocard lorsqu'il était Premier ministre. C'est le général de Gaulle qui a attribué cette résidence à Matignon en 1959, avant que Nicolas Sarkozy ne la « pique » – selon son propre terme – à François Fillon. Une décision que François Hollande s'est bien gardé de défaire. Combien coûte cette résidence de villégiature à la République? 260 000 euros au titre de l'année 2014[1].

Boxe, vélo et... télé-crochet

Une semaine après la passation de pouvoir, Brigitte Macron découvre les lieux, charmée. Elle dont l'enthousiasme a été douché en débarquant à l'Élysée comprend qu'ils vont avoir un refuge, un endroit à eux, une maison pour se mettre au vert.

Ils ont bien la villa Monejan au Touquet, dont elle est propriétaire, héritage de son père, Jean Trogneux, prospère chocolatier d'Amiens. Ils adorent cette demeure au style suisse alpin bâtie sur quatre étages, dont un rez-de-chaussée occupé par une agence immobilière. Avec son jardin intérieur, c'est le havre de paix de la grande famille Macron. Ils en prennent soin, l'ont confortablement rénovée. En 2011, le futur président a souscrit un prêt de 350 000 euros pour y faire de lourds travaux. Évaluée par les services fiscaux à 1,4 million d'euros, elle leur vaudra, avant la campagne présidentielle, un rattrapage très médiatisé d'impôt sur la fortune.

Cette belle demeure touquettoise n'a qu'un défaut, celui de ne pas avoir été conçue pour un président. Située sur la grande artère commerçante de la station balnéaire, elle n'est pas commode à sécuriser. Depuis l'élection de son célèbre occupant,

1. Rapport de la commission des finances de l'Assemblée nationale sur le projet de loi de finances pour 2015, annexes 36 « Pouvoirs publics ».

elle est devenue une attraction courue, avec son car de CRS posté jour et nuit. À chacune de leurs sorties, les Macron sont pris d'assaut par les badauds au pied de leur domicile.

Autre inconvénient, elle est coûteuse pour les finances publiques. Lorsque le chef de l'État s'y rend, il faut convoyer les agents de la sécurité élyséenne et les loger sur place. Ainsi les deux week-ends du couple au Touquet pour voter aux législatives – ils sont toujours inscrits sur les listes électorales du Pas-de-Calais – ont-ils coûté 75 000 euros[1], si bien que le président ne vient quasiment plus. Son épouse, en revanche, s'y échappe dès qu'elle le peut afin de prendre du recul, retrouver sa famille et le mirage d'une vie normale. « Quand je peux aller au Touquet, c'est formidable, il n'y a personne pour m'ouvrir les portes », confesse-t-elle, dans une sentence évocatrice du risque de déconnexion qui menace les locataires de l'Élysée.

Rien de tel à la Lanterne, sécurisée et protégée des indiscrets. La première dame décrète immédiatement qu'il n'y aura ni collaborateur ni réunion. Elle veut que son mari puisse débrancher : « C'est pour nous, pour nous ressourcer. » « Elle est obligée de le tenir afin qu'il ne passe pas ses week-ends à travailler. L'Élysée, c'est l'enfer. C'est le problème de ces maisons, vous ne les quittez jamais. Il se passe toujours quelque chose », déplore Gérard Collomb.

1. Rapport annuel de la Cour des comptes sur la gestion des services de la présidence de la République, exercice 2017.

Loin du fracas de Paris, elle a recréé un foyer chaleureux pour le préserver. Là, ils coulent des jours tranquilles, débarrassés de la pesanteur du protocole. Le samedi soir, sous ces murs qui ont vu Michel Rocard négocier les accords de Matignon sur la Nouvelle-Calédonie et Nicolas Sarkozy mijoter des remaniements avec le sulfureux Patrick Buisson, Emmanuel Macron regarde parfois « The Voice » avec sa femme en signant des piles de parapheurs. À d'autres moments résonnent des notes de musique. Trop complexé pour jouer en public, le chef de l'État, pianiste émérite auréolé du troisième prix du conservatoire d'Amiens, laisse filer ses doigts sur les touches d'ivoire du piano demi-queue issu du Mobilier national. Pour sa femme, et elle seule, il joue des ballades romantiques, *Love Me, Please Love Me* de Michel Polnareff, ou des concertos classiques qu'il affectionne de Schumann, Bach et Liszt. C'est à la Lanterne qu'il compose ses discours comme celui prononcé au Capitole devant le Congrès américain. S'ils disposent sur place d'un agent en charge de leur service privé, Brigitte Macron file souvent en cuisine préparer une simple omelette ou un plateau de fromage. Pour agrémenter ces préparations, l'endroit dispose d'une cave réputée.

Comme dans les plus beaux établissements de France, la Lanterne offre aussi la possibilité de s'adonner à quelques coups de raquette. Adepte du tennis, le président tente bien de s'exercer sur le court, mais renonce vite : le rebond est de piètre qualité. Les services de l'intendance de l'Élysée lui suggèrent d'engager des travaux de remise en état, mais la facture est exorbitante. « Le terrain est pourri, impraticable. Ça l'emmerde, il ne peut pas jouer. Et il ne va pas le faire refaire », bougonne un ami. « Mac », surmom donné au président par son professeur de tennis en référence au tempétueux John McEnroe, s'entraîne à la place à la boxe avec un officier de sécurité.

Le « cadeau » de Hollande

À leur arrivée à la Lanterne, les Macron veillent à ne pas se montrer dispendieux. Ils ne changent rien au mobilier de leur nouvelle résidence versaillaise ni à la décoration, qui date en partie de l'ère Malraux, à l'exception de la literie de leur chambre. Ils sont tout de même contraints d'engager de lourds travaux de réparation. L'hiver précédent, du temps de l'ancien « locataire », un ballon d'eau chaude a explosé, plongeant deux pièces sous les eaux et occasionnant de sévères dégâts. « Un cadeau de François Hollande ! », fulmine un conseiller de l'Élysée, furieux de devoir endosser la responsabilité budgétaire de ces dépenses. Aux soucis de plomberie s'ajoutent des travaux de sécurisation de la piscine pour leurs sept petits-enfants. Les nouveaux résidents renoncent à rénover les carreaux de mosaïque du revêtement, devenus coupants à force d'usure.

Surtout, ils décident de mettre fin à une hypocrisie qui permet depuis des années aux paparazzis de venir chasser des images des occupants sans trop de difficultés, pourvu qu'ils soient équipés d'un bon téléobjectif. Les habitués de la Lanterne le savent : l'un des arbres hauts du parc offre une vue imprenable sur la bâtisse, grâce à deux trous dans le feuillage. Impossible de l'ignorer. Les précédents habitants en ont souffert, autant qu'ils en ont profité. Nicolas Sarkozy se souvient encore, horripilé, de son dîner de noces en 2008 : « Les paparazzis étaient accrochés dans les arbres ! » Il n'est pas le seul à avoir vécu de telles expériences. François Hollande a eu la désagréable surprise de découvrir des clichés de lui avec Julie Gayet dans la presse people à l'automne 2015. Offusquée, l'actrice a porté plainte, mais d'autres photos prétendument volées de l'ancien président socialiste avec sa compagne, publiées dans *Paris Match* en avril 2017, ne susciteront pas la même contre-attaque judiciaire. Moins conciliants avec la presse people qu'au début de leur aventure médiatique, les Macron mettent un terme à ce petit jeu malsain. Ils font installer des plantons de la Garde républicaine au pied de l'arbre où les photographes rusés venaient se percher, sans totalement dissuader les plus coriaces, qui se sont rabattus sur le parc, où ils peuvent parfois croiser les Macron sur leurs vélos.

Malgré ces menus désagréments, ils y séjournent régulièrement. C'est même devenu un rituel. Chaque vendredi soir, ils gagnent la Lanterne et en repartent le dimanche après-midi. Les lendemains, à l'heure de retrouver son équipe à l'Élysée, le président est, de l'aveu de ses conseillers, bien plus serein. « Quand il était énervé et qu'il pouvait te défoncer, il le faisait. C'était comme avoir un pistolet entre les deux yeux, il te mettait une balle direct ! Lorsqu'il part à la Lanterne avec elle le vendredi, le lundi matin, ça va mieux », souffle l'un.

Le fantôme de Pompidou

L'organisation de leurs premières vacances vire au casse-tête. Le couple rêve de soleil et de tranquillité ; le GSPR, d'une protection optimisée. Attaché aux symboles du pouvoir, le président jette son dévolu sur le fort varois de Brégançon. Problème, son prédécesseur – encore lui ! – a signé une convention qui prévoit l'ouverture du site au public jusqu'à la fin septembre. Pire, l'édifice, mal entretenu depuis de longues années, nécessite de lourds travaux de réfection.

Ils décident donc de se rendre dans la résidence privée avec piscine du préfet de région, installée parc Talabot, dans le quartier huppé du Roucas-Blanc à Marseille. La vue sur la Méditerranée est imprenable. Les Macron y séjournent dix jours, pas tout à fait paisibles : le 13 août, un photographe est placé en garde à vue, accusé d'avoir tenté de pénétrer dans la villa par effraction. Cette résidence de vacances n'est pas tout à fait économique non plus : le séjour coûte 60 000 euros, dont près de 54 000 euros en frais de sécurité, le tout facturé à l'État[1].

---

1. Voir note précédente, p. 149.

En toute discrétion, cette même semaine, le couple présidentiel embarque donc pour une destination secrète : Bormes-les-Mimosas, à 100 kilomètres de là. Ils veulent voir à quoi ressemble la demeure de Brégançon[1].

Le chef de l'État est immédiatement séduit par la forteresse, où plane le fantôme de Georges Pompidou. L'ancien président se sentait chez lui au point d'y avoir rédigé ses dernières volontés, un soir de l'été 1972. Son lointain successeur hésite, pourtant. Doit-il rompre la convention signée par François Hollande, qui délègue l'entretien du fort au Centre des monuments nationaux, ou rapatrier la résidence officielle dans le giron de l'Élysée, au risque d'alourdir sa charge financière ?

En catimini, fin octobre, Brigitte Macron retourne seule dans le Var, pour un nouveau tour du propriétaire. La première dame est accompagnée par les responsables des services de l'intendance du Palais. À la suite de cette discrète visite, décision est prise de récupérer Brégançon et de lancer le chantier de rénovation. Et tant pis pour le qu'en-dira-t-on.

Le fort, perché sur un piton rocheux, périclite. Nicolas Sarkozy n'est quasiment pas venu, préférant la luxueuse résidence familiale des Bruni-Tedeschi au cap Nègre, située à une cinquantaine de kilomètres. François Hollande n'y a passé qu'une semaine

1. C'est l'une des révélations de Guillaume Daret dans son livre très documenté : *Le Fort de Brégançon. Histoire, secrets et coulisses des vacances présidentielles*, L'Observatoire, 2018.

– catastrophique pour son image – à l'été 2012 avec Valérie Trierweiler. Son prédécesseur comparera avec délectation le couple aux « Bidochon en vacances ».

Depuis Pompidou et Giscard, la bâtisse typiquement provençale n'a quasiment pas évolué. Paré de boiseries blanc et or, le salon est coquet. La salle à manger confortable, avec ses fauteuils perroquet un brin baroques. Quant au bureau du président, il est austère mais fonctionnel, peu conventionnel pour la fonction avec son plafond bas à poutres apparentes. Les appartements privés, eux, ont besoin d'un grand coup de frais. Quelque 150 000 euros sont débloqués pour refaire les cuisines, la peinture et le circuit électrique.

Les travaux bien avancés, les Macron s'offrent un premier séjour sur place pour le long week-end de l'Ascension. L'endroit est agréable avec son héliport, sa terrasse protégée et son immense jardin aux senteurs suaves de mimosas, où poussent en harmonie oliviers argentés et bougainvilliers éclatants. Tout autour, la Méditerranée à perte de vue, les îles d'Or de Porquerolles, du Levant et de Port-Cros. Seule ombre à ce tableau enchanteur, la plage privée est difficile d'accès et facile à photographier depuis le large, au-delà de la zone d'exclusion maritime des 300 mètres. Le couple cauchemarde en se remémorant les clichés de François Hollande en maillot, le front luisant de crème solaire…

Comment se baigner à l'abri des regards ? Carla Bruni-Sarkozy, leur révèle le gardien, avait décrété qu'elle ferait construire une piscine si son époux était réélu président[1]. C'est Brigitte Macron qui lance le débat, l'arbitrage se fait à deux. Cette décision, le couple compte la mettre en œuvre. Médiatiquement, politiquement, la piscine présidentielle se transforme en tollé. Ils assument. Pas question de voir leurs petits-enfants prendre des risques en descendant la pente abrupte, avec sa rampe brinquebalante. « Brigitte voulait les protéger des paparazzis », défend un ami.

Le choix se porte sur un bassin hors-sol, démontable, de dix mètres par quatre. Coût de l'opération : 34 000 euros, prélevés sur le budget d'investissement du fort. C'est peu pour une piscine, mais assez pour alimenter une polémique acide, autant que l'image d'un président des riches coupé des réalités des Français. Pendant des semaines, caricaturistes et humoristes se repaissent des futures brasses coulées varoises du couple présidentiel.

Paradis secret

L'affaire Benalla va reléguer cette controverse au rang de peccadille. Après le scandale, les Macron partent se reposer à Brégançon. Dix-huit jours loin de tout, dont douze en quasi-tête-à-tête. Brigitte Macron désire que son mari se repose et demande à ses enfants de ne venir qu'après le 15 août. De ces vacances, les Français ne sauront rien, si ce n'est *via*

1. Guillaume Daret, *Le Fort de Brégançon. Histoire, secrets et coulisses des vacances présidentielles, op. cit.*

quelques images de bains de foule ou encore de la visite des Britanniques Theresa et Philip May. Le président, qui plonge dans les sondages, devient l'homme invisible. Son épouse se fait davantage remarquer, elle qui joue les sirènes en maillot rouge, sur un scooter des mers conduit par un officier de sécurité. Mais point de messe du dimanche en l'église de Bormes-les-Mimosas, comme au temps de Bernadette Chirac. Non plus de défi sportif à vélo pour gravir le col du Canadel comme Nicolas Sarkozy, encore moins de photos volées en tenue légère à la Jacques Chirac scrutant la mer – et les filles – avec ses jumelles. Emmanuel Macron cherche à se faire oublier.

Les Français l'ignorent, mais, pendant ces journées, ils découvrent un paradis à quelques miles de là, où ils se réparent après cet épouvantable mois de juillet qui a mis leur complicité à rude épreuve et ébranlé la présidence. Le soir venu, les Macron empruntent un bateau à destination des îles d'Or, loin des ennuis et des regards curieux. Tout l'été, sur ces îlots enchanteurs à la nature préservée, ils se promènent et nagent dans les calanques bleu turquoise, au chant des cigales. Comme Claude et Georges Pompidou qui, fous de voile, prenaient une navette de la Marine nationale pour partir déjeuner au large[1]. Un proche murmure : « Là, ils ont été heureux… »

1. Guillaume Daret, *Le Fort de Brégançon. Histoire, secrets et coulisses des vacances présidentielles*, *op. cit.*

10

Les « amendements Brigitte »

« Dans “Le Club de la presse”, ce soir, un grand spécialiste de l’éducation ! » Ce 15 novembre 2016, dans les studios d’Europe 1, le journaliste Nicolas Poincaré reçoit un illustre inconnu, venu présenter son dernier ouvrage[1]. Au micro, on disserte sur les violences scolaires, l’autonomie des établissements, on étrille la méthode globale d’apprentissage de la lecture. Derrière son poste, Brigitte Macron, fidèle auditrice, est suspendue aux lèvres de l’invité. L’ancienne professeure a un coup de foudre intellectuel. Elle décide aussitôt d’acheter son livre et de préparer des fiches de lecture pour son mari, qui doit déclarer sa candidature à la présidentielle dans un centre d’apprentissage de Seine-Saint-Denis le lendemain. « Tu devrais regarder ce qu’il fait, lui ! », suggère-t-elle. Lui ? L’ancien recteur de l’académie de Créteil, devenu grand patron de l’Essec, école de commerce renommée. Un certain Jean-Michel Blanquer.

1. Jean-Michel Blanquer, *L’École de demain. Propositions pour une Éducation nationale rénovée*, Odile Jacob, 2016.

Six mois plus tard, la voix dans le poste se retrouve propulsée ministre de l'Éducation nationale. C'est Brigitte Macron qui a découvert la perle rare du gouvernement, la trouvaille du « nouveau monde » dont les Marcheurs sont si fiers, l'homme qui a réhabilité les experts issus de la société civile. Quelques jours après l'émission, Jean-Michel Blanquer rencontre le candidat et intègre l'un des groupes de travail chargés d'élaborer son programme présidentiel. Il ignore alors le rôle primordial que son épouse Brigitte a joué, et ne fera la connaissance de sa bienfaitrice que bien plus tard, après sa nomination. « C'est le ministre que j'aurais rêvé d'avoir quand j'étais prof », loue-t-elle.

Ne lui dites pas qu'elle se pique de diriger la France ou qu'elle tire les ficelles dans l'ombre. Brigitte Macron ne veut pas être présentée comme une éminence grise. « Elle veut être utile et, en même temps, elle marche sur des œufs », résume Stéphane Bern, dans une tirade résolument macronienne.

Sous ses dehors touchants de naïveté dont elle joue à dessein, la première dame est pourtant éminemment politique. Il faut les voir en société, lui posant les questions sérieuses, avec le regard acéré d'un aigle prêt à fondre sur sa proie, elle philosophant sur l'écume des jours, soigneusement retranchée derrière son immense sourire. « Un peu cruche », « nunuche », ont osé certains de nos interlocuteurs, qui se sont laissé duper par l'apparente futilité de cette femme. Cette comédie, le couple l'a rodée au fil du temps. Derrière ce masque, l'épouse a un avis bien plus tranché qu'il n'y paraît sur le casting des ministres et celui des conseillers autant que sur l'humeur et les colères du pays. Intuitive, hypersensible, elle est le cerveau droit du président, qui la consulte une fois la porte de leur appartement fermée. Elle est son ancre, sa boussole, sa vigie, celle qui tente de le prémunir contre le syndrome de la tour d'ivoire, ce mal pernicieux de l'enfermement qui isole tous les locataires de l'Élysée. Sa coéquipière, en somme, tout aussi politique que Bernadette Chirac, à ceci près qu'elle n'a jamais été élue. Les deux femmes ont un point commun : leur sens politique a été, dès le début du mandat de leur mari, sous-estimé. Pour ne pas dire méprisé.

« La journée ministérielle »

Les ministres se sont habitués à la croiser. Nombre d'entre eux ont fait sa connaissance le 8 août 2017, lors d'un dîner organisé avec les membres du gouvernement et leurs conjoints dans la salle des fêtes de l'Élysée, à la veille de leurs premières vacances. Ce jour-là, elle accueille chacun, chaleureuse et bienveillante. Parfois, elle les reçoit dans son bureau au Palais. Un jour où nous sommes dans l'aile Madame, la première dame enchaîne les rendez-vous avec trois ministres, rien de moins. « C'est la journée ministérielle[1] », plaisante-t-elle devant nous.

1. Entretien avec les auteures au palais de l'Élysée, 20 juin 2018.

Le temps que nous échangions, une secrétaire d'État patiente dans l'antichambre. « Demandez ce qu'elle veut boire à Mme la ministre », ordonne poliment Brigitte Macron, comme si de rien n'était.

Les ténors politiques conviés aux dîners secrets de la majorité qui se tiennent plusieurs fois par mois autour du chef de l'État, jamais inscrits à l'agenda, ne sont pas surpris de la retrouver à table. Au menu : de la politique, bien souvent politicienne. « Personne ne se demande pourquoi elle est là parce que c'est un vrai couple politique, fusionnel. Emmanuel c'est elle, et réciproquement », explique Gérard Collomb. Elle a son fauteuil et son couvert aux côtés des François Bayrou, Bruno Le Maire, Richard Ferrand, Christophe Castaner ou François Patriat, rencontrés pour la plupart durant la campagne. Parfois, elle glisse une tête vers 22 h 30 en rentrant du théâtre ou du cinéma et s'éclipse lorsque le président prolonge la séance *ad nauseam* d'un : « Allez, encore cinq ou six points et on va se coucher. » « Ce ne sont pas les grands moments qu'on dit. Souvent, les participants se font chier ! Le président aime bien avoir dix exposés de dix minutes de suite, ça le nourrit », grince un conseiller.

La « First Lady » n'intervient pas spontanément, mais ne se prive pas de donner son avis quand un convive la sollicite. « Et vous, qu'en pensez-vous, Brigitte ? » Les Marcheurs de la première heure, ces soldats qui n'ont d'autre ambition que la réussite du président, apprécient sa droiture et sa franchise à nulle autre pareille. « Elle ne triche pas, elle est cash, c'est bien », applaudit l'un. « On sait tous que si elle a quelque chose à lui dire, elle le lui dira. Elle lui donne son avis sur beaucoup de sujets. Elle n'est pas bête. Celui qui prend Brigitte pour une idiote… Elle connaît notre monde par cœur, elle nous connaît tous », plébiscite un autre. Tous requièrent l'anonymat, de crainte d'être évincé de la tablée. Emmanuel Macron déteste les fuites. Le président écoute-t-il seulement les conseils de sa femme ? « Beaucoup », assure, catégorique, l'un de ses conseillers.

Plusieurs membres du gouvernement ne s'y sont pas trompés et se sont rapprochés d'elle. L'épouse du président a son fan-club chez les ministres, parmi les plus en vue et les plus prometteurs, dont deux Premiers ministres potentiels. Ils s'appellent, se voient régulièrement. Jean-Michel Blanquer, Muriel Pénicaud et Marlène Schiappa font partie de ce cercle fermé qui peut revendiquer son estime et son affection. Elle aime leur caractère entier, leur côté bulldozer, leur inclination pour les arts et, qualité rare en politique, leur espièglerie.

« C'est quelque chose qu'on peut qualifier d'amitié, j'essaie de ne pas galvauder le mot, confie le ministre de l'Éducation, qui la tutoie mais vouvoie le chef de l'État. C'est une vraie convergence intellectuelle et humaine, car c'est une professeure de français qui adorait son métier et le pratiquait avec beaucoup de passion pour la littérature. Elle sait que c'est aussi ce qui m'anime. » Il a pris de son temps en pleine rentrée scolaire 2018 pour nous parler de leur relation privilégiée, installé sur la terrasse en teck qui jouxte son bureau, sous la lumière finissante de l'été indien. Là même où la première dame vient parfois déjeuner, quand ce n'est pas lui qui se déplace à l'Élysée. Ensemble, ils évoquent Marivaux, Maupassant et les fables de La Fontaine qu'il a fait distribuer à tous les élèves de CM2. De leurs échanges jaillissent des références littéraires qui résonnent avec l'actualité. Brigitte Macron fait souvent référence au personnage d'Alceste, l'idéaliste misanthrope de Molière, dont son mari connaît les tirades par cœur et qu'il se plaît à déclamer. Jean-Michel Blanquer sourit et confesse : « Elle lit tous les romans qui sortent, il est arrivé qu'elle m'en conseille. Je suis un troglodyte à côté d'elle ! »

Avec Marlène Schiappa, les conversations portent fréquemment sur *Madame Bovary*, de Flaubert, l'un de leurs auteurs favoris. À la tête de son fan-club, jamais avare d'un commentaire dithyrambique, la secrétaire d'État à l'Égalité hommes-femmes adore la première dame et voit en elle la digne successeuse de la féministe Simone de Beauvoir. Mais oublie de mentionner que la première dame a mis un terme à sa carrière de professeure au moment où son mari se lançait à l'assaut de l'Élysée, pour se mettre tout entière au service de son ambition politique.

Si elle n'était pas entrée au gouvernement, Marlène Schiappa aurait rêvé de travailler pour elle à l'Élysée : « J'avais commencé à réfléchir à ce qu'elle voulait faire. » Avec Muriel Pénicaud, c'est la solidarité féminine qui a tout emporté. Deux petites années séparent les deux « sexas ». Empathiques, très tactiles, elles se sont tout de suite reconnues. « Brigitte, c'est quelqu'un qui a du cœur. La politique est un monde où il n'y a pas toujours du cœur. Elle a un charisme tout en douceur. On a en commun l'émerveillement du beau. Je fais de la photo et l'art me nourrit moi aussi », vante la ministre du Travail, qui déjeune régulièrement avec elle. Brigitte Macron plébiscite la franchise de Muriel Pénicaud, capable comme elle d'alerter le président d'un : « Ça ne va pas, on va dans le mur ! » Maintes fois, elles ont échangé sur le sexisme de ce petit milieu.

Françoise Nyssen, l'ancienne ministre de la Culture, les rejoint souvent. Un jour de juin, toutes trois ont passé un délicieux moment de complicité dans les jardins du 127, rue de Grenelle à commenter expositions, théâtre et lectures. Lors de ces déjeuners entre amies, la politique et sa misogynie ordinaire ne sont jamais loin. « Ce qui nous a soudées, c'est notre capacité à dire : "C'est désagréable, mais c'est comme ça. Que fait-on pour avancer ?" "Ce qui ne me tue pas me rend plus fort", disait Nieztsche », médite Françoise Nyssen.

La première dame a un faible, enfin, pour Jean-Yves Le Drian. À Dakar, lors d'un voyage officiel, le ministre des Affaires étrangères s'est lancé avec elle dans une danse entraînante au rythme de percussions sénégalaises.

Officiellement, elle ne se mêle pas de la mécanique des réformes. Ce n'est pas elle qui décide s'il faut désindexer les retraites de l'inflation ou geler le point d'indice des fonctionnaires. Elle veille à ne surtout pas parasiter l'action du gouvernement et à ne pas empiéter sur la chasse gardée d'Alexis Kohler, le méticuleux secrétaire général de l'Élysée.

Cet homme est la tour de contrôle de l'exécutif, celui avec qui le président passe l'autre moitié de sa vie, si ce n'est davantage, depuis l'époque de Bercy. Raide et froid de prime abord, il peine à fendre l'armure avec cette femme vibrionnante et chaleureuse. Ces deux personnages essentiels au président coexistent, mais ne se comprennent pas. « Il est mon principal rival », dit-elle. Elle le respecte pourtant, le sait vital pour son époux. « Dans sa vie de président, Emmanuel Macron s'appuie sur deux piliers, deux regards, deux repères : un pilier affectif, son épouse, et un pilier professionnel, Alexis Kohler. Si ces piliers vacillaient, alors le président serait déstabilisé », décrypte le conseiller Philippe Grangeon.

Coups de pouce

Si l'un de ses préférés a maille à partir avec la technostructure, omniprésente en Macronie, Brigitte Macron s'avère précieuse, et n'hésite pas à donner de discrets coups de pouce. Sous couvert de off, un ministre dévoile : « Si on veut faire passer un amendement ou un texte de loi, c'est une alliée. Ensemble, on peut expliquer au président en quoi c'est important, et contourner des conseillers techniques. » Jamais la première dame ne se mettra au service d'un lobby, mais elle a des combats et des causes qui lui tiennent à cœur sur les femmes, la jeunesse et le handicap. Opiniâtre, elle se bat pour les faire avancer. Elle s'est ainsi intéressée de près au « plan contre la pauvreté », y voyant un élément de rebond essentiel pour son mari, enfermé dans l'image du président des riches, et un rééquilibrage bienvenu de sa politique, jugée trop droitière.

Lors des remaniements gouvernementaux, elle n'hésite pas à donner son point de vue et peut, d'un argument, faire basculer une décision. Quand Christophe Castaner est désigné pour prendre la direction de la République en marche au début du quinquennat, le débat fait rage au sommet de l'État pour savoir s'il doit conserver son fauteuil de ministre. Emmanuel Macron s'est engagé à renouveler les pratiques politiques, et notamment à bannir le cumul des mandats et des fonctions. « Ce serait une connerie qu'il quitte le gouvernement ! », juge-t-elle. Va pour le cumul, Christophe Castaner conserve son poste de secrétaire d'État chargé des Relations avec le Parlement, tout en prenant les commandes du parti majoritaire. Tant pis pour les promesses présidentielles.

D'un mot affectueux, glissé au détour d'une banale conversation, elle peut accorder sa protection. Au printemps 2018, les Macron se rendent aux obsèques de Jean-Claude Boulard, l'ancien maire socialiste du Mans. Dans l'hélicoptère qui les conduit sur place, le président évoque la réorganisation gouvernementale qu'il a en tête depuis quelques semaines. Il songe à modifier son équipe pour remplacer quelques soldats, qu'il juge fatigués, et rectifier des erreurs de casting. Il hésite, tergiverse. Assise à ses côtés, elle s'invite dans la discussion, l'air de rien : « Moi, tant que tu gardes Marlène, tu peux remanier qui tu veux ! »

D'une remarque, elle peut aussi abîmer une confiance, lucide sur les courtisans qui entourent son mari. De ses années d'enseignement, elle a conservé une capacité fine à jauger les âmes, sonder les cœurs, et repère vite les mauvais élèves, qui peinent à imprimer, de même que les flagorneurs, qui jouent des coudes au premier rang. Sa grille de lecture est toujours la même : qui est loyal et utile au président ? Lorsqu'elle a un doute sur une recrue, elle mène l'enquête auprès des élus de confiance qui lui servent de capteurs. « Elle m'interroge régulièrement sur certains ministres qui l'inquiètent », explique l'un. « Elle repère tout de suite les gens qui se poussent du col et ceux qui vivent sur la bête », confirme un ministre.

C'est ainsi qu'elle scelle la sortie de scène de Nicolas Hulot. À la fin de l'été *horribilis* qui suit l'affaire Benalla, un débat s'engage pour savoir comment le président doit gérer le départ surprise de la star écolo, qui a annoncé sa démission avec fracas sur France Inter un beau matin de la fin août. Doit-il le mépriser ou l'inonder de louanges culpabilisantes ? Certains proches du président le pressent de faire un geste républicain en le recevant à l'Élysée et en le raccompagnant ostensiblement sur le perron pour montrer qu'il a jeté la rancune à la rivière.

Très remontée, sa femme n'est pas d'accord. Elle est outrée de l'incorrection du ministre d'État, qui a claqué la porte sans prendre la peine de prévenir son mari. Lequel prenait l'avion quelques minutes plus tard pour le Danemark et a dû gérer à distance cette crise pénible. Un comportement « minable », selon ses mots. Pas question, plaide-t-elle, de lui offrir les honneurs de la République, il quittera le gouvernement par la petite porte !

L'épouse obtient gain de cause. Nicolas Hulot ne sera jamais reçu par Emmanuel Macron au Palais devant les caméras. De lui, on ne retiendra que les larmes au moment de la passation de pouvoir.

Pour redresser la barre, comme plusieurs conseillers, elle suggère au président, qui plonge dans les sondages, de s'adresser au pays. « Il faut qu'il parle, qu'il explique sa politique. Les Français ne le comprennent pas », défend-elle. Elle a beau sourire – et parfois rire aux éclats – des caricatures du *Canard enchaîné* qui les croquent tous deux en monarques coupés des réalités, la première dame s'inquiète. Elle a l'impression de vivre avec un homme différent de celui que décrivent les journaux qu'elle consulte sur son iPhone. On le dit arrogant, cassant, hautain. À ses yeux, il n'a pas changé.

À la rentrée 2018, le président décide de se lancer dans un festival de communication pour reconquérir le cœur de l'opinion. Mi-novembre, il accorde sa première interview radio sur Europe 1 à Nikos Aliagas, en marge de son grand périple dans le Nord et l'Est. Brigitte Macron est satisfaite, persuadée que son lien avec les Français n'est pas rompu. Dans les minutes qui précèdent l'enregistrement de l'entretien, alors que la colère des « gilets jaunes » gronde sur le prix du carburant et le pouvoir d'achat, Emmanuel Macron, détendu, bavarde longuement de « The Voice ». Son intervieweur se trouve être également l'animateur du télécrochet. La première dame arrive, lève les yeux au ciel : « J'espère qu'il ne lui a pas parlé que de ça ! »

Gueules cassées

Lorsqu'un soldat de la Macronie doit être sacrifié, c'est elle qui tend la main. Soucieux de se protéger, le chef de l'État laisse faire. Elle est son émissaire. Envoyer son épouse consoler les âmes blessées est sa façon de témoigner de son affection. Fidèle en amitié, Brigitte Macron sait être présente quand un proche trébuche.

Mise en cause dans une affaire de mezzanine construite dans les locaux de sa maison d'édition Actes Sud, critiquée pour son inexpérience politique, Françoise Nyssen est évincée de la rue de Valois à l'automne. L'ancienne ministre est convaincue que la première dame a tenté de la sauver. « Elle est toujours droite, élégante, juste. C'est un pilier qui est dans l'attention permanente aux autres », salue-t-elle, à son retour de quelques jours de repos à Belle-Île pour effacer l'affront, après son limogeage. Ensemble, elles partagent la conviction que la culture est un puissant facteur de cohésion sociale, dès l'enfance.

De gauche revendiquée, Nyssen prenait « un plaisir fou » à œuvrer à ses côtés, confie-t-elle, émue au souvenir des expositions arpentées de concert, de la rétrospective de Joan Miró à « Picasso 1932, année érotique ». Après son départ, Brigitte Macron l'a appelée pour lui glisser ces quelques mots de réconfort : « Tu ne dois surtout pas changer, reste comme tu es. » La première dame ne gagne pas tous ses combats. Nul doute qu'elles se reverront.

Richard Ferrand aussi garde un souvenir bouleversé de son soutien quand il a dû quitter le gouvernement, un mois après avoir été nommé ministre de la Cohésion territoriale, suite à l'affaire des Mutuelles de Bretagne, dont il était directeur général. Suspecté d'avoir loué un local commercial détenu par sa compagne et d'avoir fait financer d'importants travaux au détriment du groupe, il est péniblement exfiltré. Le fidèle lieutenant devient un paria chez les Marcheurs qui se targuent de faire de la politique en toute probité. Face aux « torrents de boue » qu'il dit avoir essuyés, une femme reste à ses côtés : Brigitte Macron.

Ils se sont connus à l'époque où il était rapporteur de la loi Macron 1 et se sont liés d'amitié. « On aime bien rire ensemble », dit-il. Combien de fois ont-ils pouffé en voyant le prompteur du candidat s'interrompre parce qu'il faisait une interminable digression, et redémarrer à toute vitesse ? « Lorsque ma compagne et moi avons été salis, elle n'a jamais manqué. » Chaque jour ou presque, dans cette période noire, elle l'appelle et lui envoie des textos pour s'enquérir de son état. Elle l'emmène dîner chez L'Affable, un restaurant en vue près du Palais-Bourbon, et l'autorise à le faire savoir. Pour les fêtes de Noël, elle l'accompagne même, avec sa compagne et ses filles, faire les boutiques de cadeaux. « Ce sont des actes qui ne lui rapportent rien. Quand vous êtes au fond du trou, ça compte », assure un de ceux qui les connaît bien.

Lorsqu'il voit enfin le prestigieux perchoir de l'Assemblée nationale se libérer, après quinze mois de purgatoire, elle l'encourage : « Tu seras un grand président, Richard ! » « C'est une personne rare, fondamentalement élégante », salue-t-il, touché.

« La prise terre »

Brigitte Macron tient auprès du président un autre rôle, officieux et fondamental : elle est son premier capteur, celle qui prend la température des colères, des malentendus et des griefs qui poussent sur le terrain. Elle est sa « prise terre », décrit finement leur ami Grégoire Chertok, associé-gérant de la banque Rothschild. Son ancre. Mais le peut-elle vraiment ?

Issue de la grande bourgeoisie amiénoise, elle ne saurait se revendiquer porte-parole de la « France d'en bas ». Pour autant, les charmes de la présidence – le service privé à toute heure, les repas gastronomiques servis dans de la porcelaine de Sèvres, les gardes du corps – ne l'enivrent pas. Elle traverse les cérémonies protocolaires, la vie au

Château, avec la distance d'une spectatrice, ni blasée ni charmée, habituée à vivre dans un confort certain. « Ça vous grise, Brigitte ?, la teste un jour l'un de ses amis. — Non », réplique-t-elle aussitôt. Et l'autre de reprendre : « C'est sûr que rencontrer Donald Trump, ça n'est pas très grisant... » Son âge a beau être raillé, son expérience est un indéniable atout pour garder la tête froide.

Sa capacité à prendre du recul est précieuse au chef de l'État. Chaque soir, elle lui fait remonter ce qu'elle a entendu dans la journée et lui fait lire les messages qu'elle a récoltés grâce à sa petite armée de relais : des artistes croisés à une exposition, des personnalités reçues dans son bureau, des Français qui l'interpellent spontanément lors de ses marches dans Paris, le chef du restaurant où elle a déjeuné, des « visiteurs du soir » qui s'inquiètent d'un déplacement du président sous les sifflets, des amis qui s'alarment de voir Emmanuel Macron soudain vieilli, le visage émacié.

Pour beaucoup, transiter par elle est même devenu le meilleur moyen de conserver le contact avec lui. « Elle ne va pas intriguer comme d'autres femmes d'élus. Ce n'est pas quelqu'un qui fait de la politique au sens politicien. Elle lui dira : "Tu sais, l'autre jour, des gens dans la rue m'ont dit ça." C'est un capteur. C'est un atout de l'avoir à l'Élysée », dépeint Gérard Collomb. « Elle saisit bien l'air du temps. Elle arrive à palper les choses. Elle a une grande intelligence émotionnelle, elle perçoit les signaux faibles », abonde Marlène Schiappa.

Pour forger son jugement, elle dispose de son propre cercle politique, ses « visiteurs du soir » à elle. On y trouve fort peu de Marcheurs. Et pour cause, elle ne se reconnaît pas vraiment dans le « nouveau monde » autoproclamé, son miroir aux alouettes et sa foire aux ambitieux.

Elle s'est bien prise d'affection pour Claire O'Petit, devenue députée LREM après avoir longtemps officié sur l'antenne de RMC. Mais cette femme truculente, qui n'hésite pas à tacler les jeunes qui « pleurent » parce qu'on leur ôte 5 euros d'APL (aide personnalisée au logement), ne cache pas son amitié pour le frontiste Gilbert Collard et n'a pas sa langue dans sa poche, détonne dans l'armée des clones proprets de la *start-up nation*. Elles entretiennent une relation insolite et privilégiée, se tutoient. La première dame prend régulièrement des nouvelles de son petit-fils, à qui elle a adressé une carte dédicacée. Claire O'Petit parle aussi politique avec l'épouse du président. « Écris-moi ce que tu viens de dire, je lui ferai lire ce soir », lui demande-t-elle parfois après leurs échanges. « Je n'attends pas de réponse, je sais que le message est passé », achève la députée, qui se demande si le président ne se cache pas parfois derrière ces sollicitations.

Ses fidèles, ceux qu'elle appelle quand elle a besoin d'y voir clair, se nomment Richard Ferrand, Gérard Collomb, François Patriat, trois anciens socialistes, et Jean-Paul Delevoye, ancien chiraquien pour qui elle s'est prise d'affection dès leur première rencontre lors d'un meeting à Lille : « Emmanuel a besoin de gens comme vous. » À eux quatre, ils cumulent presque trois siècles de sagesse. Cela la rassure. La première dame a un goût affirmé pour les bons crus qui ont bien vieilli, les élus qui ont de la bouteille. Question de génération et d'intuition.

« Il y a du Ségolène Royal dans le flair de Brigitte. Elle sent les choses », se félicite un ministre. Elle veut savoir exactement ce que ces élus expérimentés ont sur le cœur et leur demande de ne pas ménager le président. « Elle veille à ce que personne ne perde la liberté de ton et la franchise avec lui. Elle ne veut pas qu'il s'enferme. Elle nous demande : "Dis-le à Emmanuel, dis-lui les choses." », témoigne Richard Ferrand. Certains ont hérité, à force d'échanges, de surnoms amicaux, comme Patriat dit « Fanfan » et « Gégé » Collomb. Peu lui importe que ces interlocuteurs privilégiés viennent des rangs de la gauche ou de la droite. C'est leur expérience qui prime à ses yeux.

Marie-Antoinette

Si ces élus lui font remonter l'humeur du pays, comprend-elle vraiment les Français des « classes laborieuses », comme dit son époux avec maladresse ? Elle a toujours enseigné dans des établissements de prestige et est, comme son mari, le plus souvent retranchée dans la tour d'ivoire de l'Élysée. Après dix-huit mois de ce régime, elle donne à son tour des signes inquiétants, pour ne pas dire stupéfiants, de déconnexion avec le quotidien de ses compatriotes. Aussi affûtée soit-elle, la première dame reste prisonnière de son carcan social. Issue d'une prospère famille de commerçants, elle commet à son tour d'incroyables fautes. En pleine révolte des « gilets jaunes » sur le pouvoir d'achat et le prix des carburants, Brigitte Macron et son époux reçoivent des journalistes du *Monde*[1] pour leur présenter les travaux de rénovation engagés à l'Élysée pour une durée de six semaines. Montant de la facture : 600 000 euros, réglés par le contribuable. Prévu de longue date, le chantier vient de démarrer, en pleine rébellion populaire, par un fâcheux concours de circonstances. Les Macron décident pourtant d'offrir aux journalistes du quotidien du soir le tour du propriétaire, leur détaillant avec un luxe de précisions les soins apportés à la future décoration. « On avait l'impression que l'Élysée était devenu une forteresse qui se protégeait de l'extérieur », expose la première dame[2], sans réaliser l'incongruité de ses propos en ces heures tragiques où la République tremble pour son avenir et où la présidence est devenue le symbole du pouvoir le plus protégé de France, l'édifice que les plus virulents de leurs détracteurs rêvent de prendre d'assaut et de mettre à terre. « On va alléger, épurer. Il faut que la lumière entre », poursuit-elle, éthérée.

1. « À l'Élysée, coup de jeune sur les ors de la République », *Le Monde*, novembre 2018.
2. *Idem.*

L'article, publié à la veille du saccage de l'Arc de triomphe et de l'incendie volontaire de la préfecture du Puy-en-Velay, laisse pantois. Il dit tout du mal de l'enfermement qui rattrape inévitablement les occupants du Palais. Sur les réseaux sociaux, les cris de rage pleuvent contre Brigitte Macron, Marie-Antoinette des temps modernes qui vante un coup de peinture à un demi-million d'euros, quand le « petit peuple » des smicards survit à découvert dès le dixième jour du mois. « Brigitte Antoinette, pendant que des millions de Français hurlent dehors, elle joue à la dînette », cingle un internaute. Sur les pancartes brandies sur les ronds-points, elle se fait injurier. Si la décision de changer la moquette de la salle des fêtes a été tamponnée par son époux – et non par elle, qui n'a aucun pouvoir officiel –, cet écueil colossal choque en cette période troublée.

Quelques jours plus tard, alors que la Vᵉ République est menacée par un nouveau week-end de violences, les journalistes massés dans la cour de l'Élysée pour la sortie du Conseil des ministres aperçoivent la première dame dans le vestibule d'honneur. Elle est accompagnée par la créatrice de mode versaillaise Agnès B., à la tête d'un fleuron du prêt-à-porter français. En cette période d'immense confusion, où les « Gaulois réfractaires » manifestent, on s'attendait à davantage de sobriété. Brigitte Macron ne pense pas à mal. « Ce n'est pas au titre de styliste qu'Agnès B. a été reçue. Elle a sollicité un rendez-vous en tant que présidente d'un fonds de dotation, pour savoir comment se rendre utile », plaide l'entourage de la première dame. Il n'empêche. Au moment où les « gilets jaunes » s'époumonent dans les rues, entonnant les slogans « Macron démission », « Macron à l'échafaud », « Madame la présidente » apparaît aux Français comme une privilégiée déconnectée, lointaine successeuse de « l'Autrichienne », épouse de Louis XVI.

11

En marche, à droite !

Quand il est de passage à Paris, Philippe de Villiers aime s'encanailler à La Rotonde. Autour de sa grande table ovale attitrée au premier étage, ses hôtes sont des penseurs de la droite dure, comme Patrick Buisson et Éric Zemmour, des journalistes, parfois des amis. On se repaît de plats roboratifs, assis sur des canapés rouges défraîchis. Le patron Gérard Tafanel, un Auvergnat plein de bagou, lui donne du « Monsieur le président ». Un clin d'œil au Mouvement pour la France, qu'il dirige toujours. « C'est le seul endroit de France où on m'appelle comme ça. Ma femme se fout de moi », se gausse-t-il. Un midi, au tout début de l'année 2016, le fameux Gérard monte le voir. « Brigitte et Emmanuel Macron sont en bas. Ils aimeraient bien vous rencontrer. Si vous pouviez passer en partant… »

Retiré de la vie politique, le souverainiste n'a aucune envie de replonger. Il en dit pis que pendre et dresse un portrait piquant, voire acide de ses dirigeants. « Quand vous êtes un politique, vous êtes une serpillière, tout le monde s'essuie sur vous. »

Nicolas Sarkozy? « Un ouistiti, un ludion électronique qui tourne avec les couleurs du manège. » François Hollande ? « Pour être premier secrétaire du PS si longtemps, il faut aimer le vide. » Cinglant. Il savoure sa nouvelle vie de scénariste en chef du Puy du Fou, son œuvre, sa création. « La différence entre les adultes et les enfants, c'est le prix des jouets », se délecte-t-il, heureux et fier d'avoir fondé ce parc à thème historique. Alors, revenir dans ce « cloaque », qui plus est pour croiser un ministre estampillé socialiste, non merci. Il esquive donc sans demander son reste.

La même scène se répète début février. Cette fois, impossible d'y échapper. Et il l'avoue, il a envie de « voir la bête », l'étoile montante qui fait tant jaser. Emmanuel Macron l'intrigue, lui qui casse les codes et tient la dragée haute aux vieux routiers de la politique. En l'apercevant descendre l'escalier, lui et son épouse lui font signe de la main, l'invitent à leur table. Il les rejoint, mais prend ses précautions. Tout juste pose-t-il « une fesse, un quart du séant » sur le siège, prêt à s'éclipser. Il ignore qu'il va tomber dans leurs charmants filets.

« Flamberge au vent »

C'est Brigitte Macron qui entame la conversation. De Villiers, un pestiféré, un paria ? « J'ai adoré votre livre ! », flatte-t-elle d'emblée, alors que cet europhobe affiché vilipende dans son dernier opus l'Europe des technocrates, l'immigration de masse et le cynisme des professionnels de la politique[1]. Emmanuel Macron enchaîne : «J'ai un rêve que vous pouvez m'aider à réaliser ! Venir au Puy du Fou cet été.» Depuis la création du parc en 1978, aucun ministre de gauche n'y a jamais mis les pieds. Mépris des édiles parisiens pour une success-story de province, et prudence élémentaire. Avec ses positions ultraconservatrices, son créateur sent le soufre : il ne manque jamais une occasion de saluer la mémoire du professeur Jérôme Lejeune, icône de la lutte anti-avortement.

«Vous êtes comme tous les politiciens, au dernier moment vous aurez un empêchement !», grince le Vendéen, qui en a vu d'autres. Le jeune ambitieux reprend : «Je suis très sérieux, je veux venir au Puy du Fou.» «Je vous aime beaucoup, sans vous connaître. Vous êtes quelqu'un d'original», caresse Brigitte Macron.

Ensemble, ils passent un joyeux moment. Le «vieux monde» et ses figures décaties sont étrillés avec mordant. Philippe de Villiers s'étonne de leur liberté de ton. «J'ai eu l'impression d'un scintillement», confie-t-il après cette première rencontre.

Au cœur du mois d'août, alors qu'il se repose chez son frère Bertrand à l'Île-d'Yeu, il reçoit un appel sur son portable hors d'âge, lui qui résiste aux smartphones et autres nouvelles technologies. Au bout du combiné, Emmanuel Macron. Quelques

1. Philippe de Villiers, *Le moment est venu de dire ce que j'ai vu*, Albin Michel, 2015.

mois plus tôt, le trublion a lancé son mouvement En Marche !. Il est en orbite pour la conquête présidentielle. « Ça y est, avec Brigitte, on vient ! On pensait passer le week-end du 26 août, mais je voudrais prendre mon temps, comment fait-on ? » Philippe de Villiers, incrédule, rapporte l'étrange conversation à son frère, qui lui glisse ce conseil avisé : « Si tu veux mon avis, reçois-le bien, c'est quelqu'un qui ne s'arrête pas aux préjugés. Il va être candidat, il est moins bête que les autres. Il a compris que Disneyland, c'est l'Amérique, et que le Puy du Fou, c'est la France. » Le vicomte a encore un doute : ce ne peut être qu'une visite privée.

Il rappelle celui qu'il appelle déjà familièrement par son prénom. Lequel éclate de rire et lui offre une réponse enflammée, truffée de références qui vont droit au cœur de ce féru d'histoire : « Je viens saluer un fleuron français qui traverse la crise comme la salamandre de François Ier traverse le feu[1]. C'est une visite officielle du ministre de l'Économie ! Flamberge au vent[2], je ne vais pas me cacher, ce n'est pas mon style, donc invitez toute la presse. » Et l'intrépide Macron de claironner, bien décidé à lancer un nouveau bâton de dynamite : « Et je les emmerde ! »

Le couple arrive au parc vendéen le 19 août. Savent-ils déjà qu'ils vont quitter Bercy onze jours

---

1. L'emblème de François Ier est une salamandre assise dans les flammes, crachant de l'eau.

2. Expression du XVIIe siècle qui signifie sortir une épée puissante, entamer un combat.

plus tard pour partir sabre au clair à l'assaut de l'Élysée ?

Dans les gradins du stadium gallo-romain, impressionnant Colisée reconstitué, Brigitte Macron s'enflamme lorsque résonne le cri des gladiateurs prêts à périr au fil de l'épée : « *Morituri te salutant*[1]. » « C'est génial », s'emballe-t-elle. Les dialogues sont riches de clins d'œil littéraires, l'ancienne professeure savoure. Installé avec eux, en parka bleu marine du parc, le Vendéen pousse son avantage et propose au futur candidat, sans trop y croire, de participer à la course de chars. N'importe quel responsable politique soucieux de son image, *a fortiori* en route pour la magistrature suprême, refuserait la chevauchée. Pas lui. « Vas-y, fais-le ! », s'enflamme l'épouse. « Et balance un truc aux médias », suggère l'hôte à l'oreille de son invité. Les deux hommes se retrouvent l'un contre l'autre, en plan serré face aux caméras incrédules quand Macron suit la recommandation, et ose cette audacieuse provocation : « L'honnêteté m'oblige à vous dire que je ne suis pas socialiste. » Estomaqué par tant de hardiesse, de Villiers réprime un fou rire. Cela fait bien longtemps qu'il n'a pas été bluffé par un homme politique.

À l'heure du dîner, il lui prodigue de savants conseils sur la fonction présidentielle, en adepte averti de la théorie de Kantorowicz : « Il n'y a que Mitterrand et de Gaulle qui ont incarné la fonction. Il faut habiter le corps du roi. Ne sois pas un président

1. « Ceux qui vont mourir te saluent. »

normal, sois dans la verticalité. » À minuit, après l'impressionnant spectacle du Puy du Fou avec ses bénévoles en costume et son feu d'artifice géant, ils partagent un dernier verre. La soirée s'éternise, Brigitte Macron fatigue. À 3 heures du matin, reçus comme des princes, ils regagnent leur lit à baldaquin au Camp du drap d'or, gîte de luxe avec colonnes en chêne massif et tapisseries brodées. En cette nuit puyfolaise, une amitié est née.

Emmanuel Macron élu, le lien ne se distend pas. De Villiers l'alimente en propositions, qu'il appelle « les notes Philippe ». Le président apprécie sa franchise et lui répond par texto. Sur le dossier épineux de Notre-Dame-des-Landes, l'ancien patron du conseil général de Vendée se prévaut d'avoir joué un rôle décisif en suggérant au président une « décision siamoise » : abandonner le projet d'aéroport et lancer parallèlement l'évacuation de la « zone à défendre » (ZAD), façon jugement de Salomon. Le chef de l'État applique à la lettre cette ordonnance, avec succès. Quelques semaines plus tard, ils se retrouvent à Saint-Denis, au Stade de France, lorsque le petit poucet vendéen des Herbiers affronte le titan parisien du PSG en finale de la Coupe de France. Emmanuel Macron, qui ne cache pas leur amitié sulfureuse, le convie en tribune officielle. « Tu as vu Sarko avec Kadhafi ? Le serviteur et les maîtres... », raille de Villiers en désignant de la tête l'ancien chef de l'État et... le président du PSG, le Qatari Nasser Al-Khelaïfi. Ils conviennent de se revoir en Vendée.

Une complicité se noue aussi avec la première dame. De Villiers aime cette femme pétillante, « très jeune d'esprit, plus que son mari », dont il mesure précisément le rôle : « Elle est la femme qui souffle à l'oreille de l'artiste. » En ces premiers mois du quinquennat, tous deux échangent, jamais par écrit. Prudente, Brigitte Macron est trop consciente des chausse-trappes politiques pour se laisser piéger. Elle se confie tout de même au très catholique Philippe de Villiers. Les Macron sont-ils croyants ? « Plus que moi », dit le Vendéen. Pratiquants ? « Non. » On ose cette question : Brigitte Macron est-elle de droite ? « Elle m'aime bien. Je m'arrêterais là », répond-il, grand sourire, soudain mutique. On pousse un peu plus loin : a-t-elle voté pour lui au premier tour de la présidentielle de mai 1995, lorsqu'il a récolté 4,7 % des voix de la droite traditionnelle ? Emmanuel Macron, qui a fêté ses 18 ans le 21 décembre suivant, n'est alors pas en âge de voter. « Joker ! » La discrétion de ceux qui savent ? « Je suis tenu par le secret de la confession. » Amen. On n'en saura pas plus.

Sarkozy for ever

Les choix électoraux de la première dame ne sont pas le moindre des mystères de cette femme si secrète. « Même mon mari ne sait pas pour qui je vote », fanfaronne-t-elle.

Malheur à celui qui se hasarde à lui prêter quelque préférence que ce soit. Nicolas Sarkozy en a fait l'expérience. Les jours qui suivent leur dîner de couples si chaleureux de l'été 2017, l'ancien président, bavard impénitent, se répand dans Paris. Il est tombé sous le charme de l'épouse de son successeur. Quel panache ! Aux élus qui défilent sur les canapés écrus de ses bureaux de la rue de Miromesnil, il expose, l'air entendu : « C'est une femme très bien. D'ailleurs, elle m'a dit qu'elle a toujours voté pour moi. » En clair : aux deux tours de la présidentielle de 2007 qui l'opposait à Ségolène Royal, et lors du scrutin de 2012, quand il affrontait François Hollande, soutenu dans son équipe par... Emmanuel Macron.

En guise de réponse, l'entourage de la « First Lady » oppose un sec démenti. Brigitte Macron, elle, n'en tient pas rigueur à Nicolas Sarkozy. Elle éprouve de l'affection pour cet homme qui lui ressemble tant. Elle aime son côté cash, sans filtre. Mais s'en méfie tout de même, sachant que lui et son épouse ne sont guère discrets.

En dépit des dénégations officielles, les amis de la première dame sont convaincus qu'elle a voté pour Sarkozy en 2007, à l'époque où il citait Jean Jaurès et promettait un ministère de l'Identité nationale, apôtre avant l'heure du « et en même temps » cher aux macronistes. C'était bien avant qu'il ne droitise son discours sous l'égide de Patrick Buisson. Ceux qui dînent avec Brigitte Macron à cette période se souviennent de ses envolées libérales de centre droit. À table, elle ne mâche pas ses mots. « C'est une femme de droite, mais la droite MoDem en un peu plus libéral. Son père était dirigeant d'entreprise. Elle a toujours tenu des discours pro-business », raconte un intime. Pendant la campagne de son mari, elle fait cette confidence à un élu : « Il m'embarque, Emmanuel, mais ce ne sont pas mes idées ! »

« Elle est beaucoup plus conservatrice que lui », confirme un proche. Le chef de l'État est un enfant de la génération Mitterrand. Il a trois ans et demi lorsque le premier président socialiste entre à l'Élysée ; 17 ans quand il en sort. Son esprit a été façonné par cet univers. C'est à gauche qu'il fait ses premières armes en politique. À Science Po, à la fin des années 1990, il effectue un stage au cabinet de Georges Sarre, maire du 11e arrondissement de Paris et proche du souverainiste Jean-Pierre Chevènement. Il apprécie la droiture républicaine du « Che », comme on le surnomme alors. Après l'ENA, il se rapproche de Michel Rocard, Jacques Attali, Jean-Pierre Jouyet et, fait méconnu, de Laurent Fabius, qui vient même dîner chez lui cité Falguière. Beaucoup sont des figures de la deuxième gauche. Un ancien de la promotion Sédar Senghor de l'ENA (2004) décrit un Macron tout en duplicité, se faisant passer pour un homme de droite alors qu'il est « culturellement de centre gauche ». Ce camarade s'est étranglé en l'entendant un jour étriller les 35 heures, devant les patrons du Medef. « Tu crois que je suis dans un milieu de Bisounours ? », lui a rétorqué le futur président, en plein rôle de composition.

Brigitte Macron vient, elle, de la bourgeoisie de province. Chez les Trogneux, on penche du côté de la droite modérée, tendance gaulliste. Ses parents,

Simone et Jean, ont soutenu le centriste Gilles de Robien, étiqueté UDF, pour les élections municipales à Amiens en 1989.

Couronne d'épines et goupillon

Quinze années d'études chez les sœurs de la congrégation du Sacré-Cœur de Jésus ont fait d'elle une catholique accomplie. Dans l'établissement religieux d'Amiens, uniforme et confession sont de rigueur. La vision cataclysmique des religieuses sur le trépas a profondément marqué cette âme traumatisée par le décès de sa sœur aînée enceinte dans un accident de voiture. La petite Brigitte a alors 8 ans. Elle est restée croyante, mais pas pratiquante.

Bien des années plus tard, lorsqu'elle escorte la pieuse Melania Trump en visite spirituelle à la cathédrale Notre-Dame de Paris, les deux femmes sourient devant la statue de la Vierge, tandis que l'hymne américain s'échappe des grandes orgues. À la lueur des cierges, elles se recueillent ensuite devant la sainte couronne d'épines qu'aurait portée le Christ, rapportée de Terre sainte et conservée en ces lieux depuis le XIXe siècle. Elles apposent leurs mains sur le reliquaire. Mais, tandis que l'Américaine dépose une bougie et se recueille en prière, Brigitte Macron s'abstient d'allumer un cierge. Ses collaborateurs l'en ont dissuadée.

Lorsqu'elle pénètre quelques mois plus tard en l'église de la Madeleine pour les obsèques de

Johnny Hallyday, elle fait un signe de croix avant de traverser la nef. Puis, au terme de la cérémonie, saisit le goupillon pour asperger d'eau bénite le cercueil de la star, sans se soucier des caméras. Emmanuel Macron, lui, se retient *in extremis.* Garant de la laïcité, il manque de fauter en ce jour anniversaire de la loi de 1905, qui consacre la séparation des Églises et de l'État. Il est sur le point de bénir la dépouille lorsqu'il se ravise et pose les mains sur le bois nacré blanc. À l'âge de 12 ans, il avait surpris sa famille, laïque, en réclamant de se faire baptiser, avant d'intégrer le lycée jésuite de La Providence. Depuis, il s'est éloigné de la foi. Plus que croyants, les Macron sont avant tout mystiques.

«Les transgenres sur le perron»

De droite, oui, mais pas sur les questions sociétales. Si elle veille à ne jamais se prononcer publiquement sur la procréation médicalement assistée (PMA) ou le droit à l'euthanasie, pour éviter toute forme de récupération politique, Brigitte Macron ne comprend pas que l'on puisse imposer un choix de vie à autrui.

Fondamentalement libérale, elle a elle-même choisi de vivre au grand jour sa relation avec Emmanuel Macron, commettant l'acte le plus transgressif de sa vie. Pour la Fête de la musique à l'Élysée, lorsqu'elle découvre les *drag queens* en hauts résille se trémoussant au son du DJ Kiddy Smile – en tee-shirt «fils d'immigrés, noir et pédé» –, elle se déhanche elle aussi, sans penser à mal. « Elle trouvait ça drôle et amusant, le choc des cultures », rapporte un de ses confidents. Gêné, voyant la polémique arriver, Emmanuel Macron marque un temps d'arrêt. « Quand j'ai vu les transgenres sur le perron, j'ai pensé à Yvonne de Gaulle et Bernadette Chirac. Il y a soixante ans, Mme de Gaulle interdisait les divorcés à l'Élysée, et on fait venir un DJ *queer* avec ses danseurs transgenres... », s'affole un conseiller.

La scène dit tout de leur différence de génération. Le chef de l'État, né en 1977, est un enfant des années sida, avec un rapport au corps plus complexé. Elle aime danser, rire, faire la fête. Elle écoute aussi bien Maître Gims et Vianney que Marc Lavoine ou encore le DJ électro Kavinsky. « Elle est moderne, lui c'est plus compliqué. C'est une femme des années 1970 avec un rapport au corps plus libéré. On était des obsédés sexuels à l'époque, c'était la pilule pour tout le monde à 15 ans et même pas de préservatif ! Les maladies sexuellement transmissibles, ça n'existait pas. Brigitte vient de cet univers-là », témoigne un proche du couple.

Cette audacieuse soirée va leur coûter une amitié. Lorsqu'il découvre les images de la Fête de la musique, Philippe de Villiers est pris de nausées. Dans les rues de son fief des Herbiers, on le raille. Il confie alors ne plus oser sortir de peur d'être alpagué sur les fréquentations hasardeuses de son « ami » président. Il se sent trahi. Au téléphone, il déverse sa colère : « À chacun son Leonarda ! Hollande, ça l'a tué ! Macron a déshonoré la fonction. Il a touché à la verticalité. On est dans le show-business. Il a voulu jouer les Jack Lang. Ce qui est brisé, c'est l'incarnation. Il a perdu 80 % de son autorité. Les photos, ça reste. Les gens me disent : "Tu vois bien qu'il s'est foutu de ta gueule !" », s'étrangle-t-il, blessé. Il a l'affreux sentiment qu'Emmanuel Macron l'a instrumentalisé à des fins politiques. Aujourd'hui encore, il s'interroge : « Est-ce que ce n'était pas une manipulation ? »

12

Quand les portes claquent

Cinq interminables journées. À la fin du mois de juillet 2018, la première dame disparaît. Nulle trace d'elle. Alors que l'affaire Benalla ébranle la présidence, Brigitte Macron est introuvable. Envolée. Évaporée. Évanouie. Personne ne le relève alors que la tempête gronde, mais elle n'est pas sur le perron de la Maison de l'Amérique latine (Paris 7e) aux côtés de son époux, au soir du mardi 24 juillet, lors de la riposte imaginée par l'exécutif pour afficher une équipe soudée autour de son chef. Entouré de la quasi-totalité de son gouvernement, le président harangue la foule des députés de la majorité, massés à ses pieds. Non, Alexandre Benalla ne détenait pas les codes nucléaires ! Non, il n'occupait pas un logement de 300 mètres carrés à l'Alma ! Non, il n'était pas rémunéré 10000 euros par mois ! Non, il n'était pas son amant ! Il défie les médias, qu'il conspue : « S'ils veulent un responsable, il est devant vous. Qu'ils viennent me chercher. » Alors qu'Emmanuel Macron monte au front entouré de ses troupes, son épouse brille par son absence.

Quelques heures plus tôt, elle est pourtant avec lui pour recevoir la star Brigitte Bardot à l'Élysée. Où est-elle donc passée ? Le lendemain, le président s'envole pour La Mongie et Bagnères-de-Bigorre, les terres de son enfance, non loin de la maison de sa grand-mère disparue, où les Macron sont venus skier en décembre, escortés par… Alexandre Benalla. Cette fois, il est seul. Le lendemain, il décolle pour une visite officielle au Portugal. Encore seul. La première dame est partie au Touquet pour marquer sa désapprobation, loin de l'Élysée.

Le refuge

Quand Brigitte Macron découvre les images du jeune homme, avec casque et brassard de police, frappant violemment deux manifestants le 1er mai comme un vulgaire voyou, elle est sidérée. Ce n'est pas l'Alexandre qu'elle connaît, ce garçon si dévoué, si doux.

Futé et ingénieux, il a su gagner leur confiance pendant la campagne, se rendre utile, indispensable même, au point d'être bombardé chargé de mission auprès du chef de cabinet de l'Élysée, à 26 ans seulement. C'est lui qui réserve des places de théâtre quand les Macron ont besoin de s'aérer une soirée. Lui qui raccompagne les filles de la première dame jusqu'à leur domicile et récupère les petits-enfants au cours de piano, toujours en compagnie des officiers du GSPR (Groupe de sécurité de la présidence de la République). C'est lui qui veille sur l'épouse lorsqu'elle sort déjeuner dans Paris avec ses amis. Lui qui ouvre la maison du Touquet – il en possède un trousseau de clefs – lorsqu'il faut procéder à une inspection de sécurité avant que le président n'arrive. Au fil des mois, il s'est imposé comme l'homme de confiance, presque un membre de la famille. Un couteau suisse, chargé à la fois de leurs déplacements privés, en lien avec la sécurité officielle, et des menus services du quotidien. Ils se sont pris d'affection pour ce gamin qui a grimpé les échelons à force de débrouillardise.

« C'est un type attachant, sorti d'une cité d'Évreux (Eure), qui a fait un master. C'est difficile humainement de lâcher les gens quand vous êtes allés au feu ensemble. La fidélité, c'est une chose à laquelle ils sont attachés », défend un intime. « Brigitte l'aimait bien, poursuit un autre. Elle l'a découvert sous ce jour comme tout le monde. Pour eux, c'était le gars malin, le mec super démerdard. »

« L'affaire Benalla, je ne l'ai pas vue venir[1] », confesse la « First Lady ». Quand la grenade dégoupillée explose, elle tente d'abord de se rassurer : « Emmanuel est courageux, il est fort, il fait face. » Comme à l'époque du tollé autour des festivités de La Rotonde, ils ne comprennent pas quel est le souci. Alexandre Benalla s'est fort mal comporté, certes, mais cela justifie-t-il cet hallali ? Pour le président, cette affaire est absurde, il ne saisit pas le problème. Mais son épouse réalise rapidement que

1. Entretien avec l'une des auteures, 10 septembre 2018.

la machine Élysée s'enferre dans le mensonge et le déni. Personne ne protège son époux, personne ne veut servir de paratonnerre, pas même Gérard Collomb, son ami. Pour la première dame, il faut trancher dans le vif, sans tarder.

Elle n'adhère pas du tout à la stratégie de défense du cabinet présidentiel. Les rumeurs sur les réseaux sociaux, qui leur prêtent une folle liaison avec leur factotum, la révulsent, réveillant les plaies mal cicatrisées de la campagne. Impuissante, elle observe la mécanique infernale s'emballer, sans que rien ne la freine. « Elle était stupéfaite de voir la vague monter, monter, sans que personne ne l'arrête à l'Élysée », se remémore un proche.

Les vacances scolaires tombent à point nommé. La première dame se réfugie à la villa Monejan, avec sa fille et ses petits-enfants. Elle laisse son mari en tête à tête avec ses conseillers. Terrible méprise. « Elle a fait une erreur en quittant le navire. Avant, quand elle partait, il revenait en courant. Mais ça, c'était avant... », s'alarme l'un de ses soutiens. Elle ne réapparaît que le lundi 30 juillet, en visite à l'hôpital pour enfants de Necker, au sud de Paris. Comme si de rien n'était.

Des signaux d'alerte, il y en a eu pourtant. Difficile d'ignorer la propension d'Alexandre Benalla à jouer les gros bras. Lors d'un meeting à Caen en mars 2017, on le reconnaît distinctement sur une vidéo en train de ceinturer vigoureusement un journaliste de Public Sénat qui veut photographier le candidat. Alertée, l'équipe de campagne ne réagit pas. Pas davantage quand, avec son acolyte Vincent Crase, également incriminé dans les violences du 1er Mai, il soumet aux responsables du QG un devis surréaliste pour l'achat de deux pistolets avec holster, de quatre sacs d'assaut et d'un Flash-Ball. « C'est juste hors de question », cingle le directeur de campagne Jean-Marie Girier. Au sein de la Macronie, certains le considèrent du reste comme un grand frère, un protecteur. « Quand quelqu'un nous emmerde, Alex lui pète la gueule, une bonne rouste et on est bien content », expose un fidèle du président, sans mesurer le caractère choquant de tels propos.

Pour comprendre comment les Macron en sont arrivés là, il faut se replonger dans l'ambiance de la campagne, avec ses rumeurs sur l'homosexualité supposée du candidat et ses *fake news* sur un mystérieux compte caché aux Bahamas. À l'époque, un climat de paranoïa flotte dans l'équipe. Pour assurer sa sécurité, le futur président doit embaucher des agents de sécurité privés. À son départ de Bercy, lui ont été retirés ses gardes du corps, comme le veut l'usage. C'est ainsi qu'Alexandre Benalla est recruté en CDD par le mouvement En Marche ! en décembre 2016 comme responsable du service d'ordre. Une fois élu, très soucieux du respect de sa vie privée, Emmanuel Macron se méfie des guerres de polices qui agitent le sommet de l'État. Un intime du couple décrypte : « Emmanuel s'est habitué aux agents privés, il a voulu les garder. Benalla, ce gamin si on est gentil, ou cette petite frappe si on n'est pas gentil, a agi en électron libre. Il s'est octroyé tous les droits tout seul. »

Dommage collatéral

Au sortir de cet été de tourmente, Gérard Collomb zappe un dimanche soir sur son téléviseur et tombe sur le film de deuxième partie de soirée sur TF1. Facétie de programmateur ? La chaîne diffuse le cultissime *Bodyguard* avec Whitney Houston et Kevin Costner. Le film préféré d'Alexandre Benalla. Nul doute que celui qui est encore ministre de l'Intérieur rumine sa revanche.

L'affaire a brisé sa complicité avec Emmanuel Macron, qu'il considérait comme un fils. Il a été meurtri que l'on tente de lui faire porter le chapeau, le forçant à se justifier péniblement devant une commission d'enquête parlementaire. Lui, si méticuleux, a été estomaqué de voir l'Élysée s'égarer à ce point. Son amitié avec Brigitte Macron en a pâti.

Longtemps, il a été son préféré. Elle lui donnait du « mon Gégé » et l'appelait depuis la voiture du candidat pour qu'il relise ses discours. Ils sont tous les trois de fins lettrés. Agrégé de lettres classiques, Gérard Collomb est capable de réciter de tête des strophes entières de poèmes de Mallarmé. « J'aurais dû être prof de latin à l'université. Ma grande spécialité, c'était le stoïcisme. Ça sert, ici », grince le premier des Marcheurs, un jour que nous le rencontrons dans son grand bureau de la place Beauvau. Les traits sont tirés, les yeux humides. Est-ce la fatigue ou la déception ? Il évoque sa rencontre du printemps 2016 à Bercy avec Brigitte Macron. « Ça a tout de suite bien accroché. On s'aime bien. Elle est cultivée. Elle a un regard assez juste sur les choses, décalé par rapport à l'action politique. Elle voit les choses de l'extérieur. Moi aussi j'avais ce regard décalé. » Ce qu'il ne dit pas, c'est que les choses entre eux se sont corsées.

Début septembre 2018, le président sort de ses gonds en l'entendant regretter le « manque d'humilité » de l'exécutif chez Jean-Jacques Bourdin, en direct sur BFM TV et RMC. « L'*hubris*, c'est la malédiction des dieux quand, à un moment donné, vous devenez trop sûr de vous », professe à l'antenne le « premier flic de France ». La sortie, inhabituelle et très critique envers le pouvoir, fait grand bruit.

Brigitte Macron tente une médiation, et prend l'initiative d'organiser un dîner à l'Élysée pour que les deux hommes crèvent l'abcès. « Je lui ai dit ce qui n'allait pas. Il m'a répondu. Il voit bien que les temps sont plus difficiles. La première année, c'est la plus dure. Vous êtes dans une espèce d'enthousiasme collectif. J'essaie de le lui faire entendre », raconte l'ancien socialiste, l'un des rares à oser parler franchement au chef de l'État. L'affaire Benalla, il l'a vécue comme une injustice. Rien n'y fait, il ne la digère pas.

Une semaine plus tard, sans prévenir qui que ce soit, Gérard Collomb annonce sa candidature à la mairie de Lyon et, provocation suprême, son intention de quitter le gouvernement après les européennes du printemps 2019. Colère à l'Élysée. Après Nicolas Hulot, il est le deuxième ministre d'État à claquer la porte ! Quelques jours plus tard, il remet en personne sa démission au président, qui la refuse. Brigitte Macron, qui suit l'affaire minute par minute, est rassurée. Le lendemain, elle est sidérée en découvrant son interview dans *Le Figaro,* où le ministre acte lui-même son départ.

Jamais, à aucun moment de ce feuilleton, elle ne lui retire son amitié ni ne rompt le contact. Mais elle n'aime pas la manière, et le lui fait savoir. Qu'il ait des états d'âme, oui, qu'il les étale en place publique, non. « Elle lui a dit les choses, durement, franchement. Qu'il n'avait pas besoin de formuler les critiques dans une interview, qu'il aurait pu parler directement au président », dévoile un proche de l'ancien ministre de l'Intérieur. D'autres sources au sommet de l'État évoquent une explication beaucoup plus musclée, où elle lui aurait tenu ce langage : « On t'a tout donné, tu ne peux pas te comporter comme ça. Oui, tu nous as aidés, mais tu n'as pas tout fait ! »

La première dame comprend vite qu'un dilemme privé perturbe son « Gégé ». À Lyon, son épouse Caroline le presse de regagner sa ville, car elle constate avec inquiétude que son pouvoir s'effrite dangereusement à l'approche des municipales. Devant les macronistes qui vitupèrent, évoquent un « coup de poignard », Brigitte Macron se fait donc apaisante. « On lui garde notre amitié. Il y a des choses qu'on ne sait pas. » Ils se reverront, ce n'est qu'une question de temps. Ils sont tous deux aussi inquiets pour l'avenir du gouvernement.

Les murs tremblent

Le président accepte-t-il toujours la critique, lui qui aime tant frotter son esprit aux contradicteurs, au premier rang desquels sa femme ? Tous les chefs de l'État traversent, durant leur mandat, une période de flottement où ils s'enferrent dans leurs certitudes. « Il est comme ses prédécesseurs. On ne mesure pas ce que c'est d'être président. Tu es seul, tout seul, avec toutes ces décisions à prendre. À un moment, tu ne veux plus entendre, tu veux du soutien, pas des critiques », rapporte un vieux compagnon de route de François Hollande, qui a vu ce piège redoutable se refermer sur l'ancien président socialiste.

En cette rentrée 2018, Emmanuel Macron subit une avalanche de mauvaises nouvelles. Tout s'effrite, tout lui échappe. Le « maître des horloges » ne maîtrise pas le plus petit sablier. Ses ministres quittent le navire quand bon leur semble, ses remaniements patinent, sa politique est contestée, sa popularité s'effondre. Un « visiteur du soir » résume à sa façon, crue : « À chaque fois qu'il pousse une porte, il y a une merde derrière. »

Son épouse s'en alarme, tente de le sortir de sa torpeur. Elle finit par hausser le ton. Un jour, au Palais, les murs tremblent. Brigitte Macron s'emporte et le somme d'en finir avec ses « conneries » s'il ne veut pas ruiner son quinquennat. Le couple est coutumier des explications orageuses. Ces deux caractères forts s'affrontent, parfois vivement. À l'Élysée, les oreilles indiscrètes entendent tout. Un vieil ami des Macron, habitué de leurs joutes verbales parfois houleuses, en plaisante, plutôt ravi qu'elle fasse œuvre utile : « Elle est extrêmement exigeante, c'est une prof. Elle est toute frêle, mais c'est de l'acier, une barre de fer ! Ses inquiétudes sont légitimes. »

Le chef de l'État l'écoute-t-il seulement ? En cette rentrée maudite, il semble replié sur ses conseillers. Or, ces derniers se passeraient bien de sa femme.

13

« Ils rêvent qu'elle meure… »

C'est un livret photos que le grand public ne verra jamais. Il en existe de rares exemplaires, mais se le procurer demande patience et pugnacité. Ce document résume à lui seul les offenses faites à la première dame, à l'ombre du pouvoir. À la rentrée de septembre 2017, pour les Journées du patrimoine, la cellule communication de l'Élysée concocte un catalogue photographique d'une trentaine de pages destiné à immortaliser les premiers mois de cette présidence encore triomphante du « nouveau monde ». Quand elle feuillette l'exemplaire test, Brigitte Macron tressaille. En tournant les pages, elle voit défiler sous ses yeux des clichés léchés du chef de l'État, du secrétaire général Alexis Kohler, et même de Nemo. Mais d'elle, point. Zappée de l'image, rayée de la carte. Niée symboliquement, comme si son époux était veuf. « Je ne veux même pas lui en parler… », s'offusque-t-elle, abasourdie. Elle n'est pas surprise : pendant la campagne électorale, elle a dû batailler ferme contre les conseillers aux dents longues.

Emmanuel Macron, qui veille à chaque détail en ce début de mandat, demande à voir le livret avant sa publication. Il saisit tout de suite le problème et s'emporte, furieux qu'on attente si bassement à sa femme : « Vous vous foutez de moi ? » Les exemplaires déjà imprimés partent au pilon.

Ainsi va la vie à l'Élysée, entre le cabinet de monsieur et l'aile Madame.

Les « petits marquis »

Leurs contempteurs les surnomment « la Firme » ou « les hyènes », c'est selon. Eux se baptisent fièrement « les Mormons ». Ces jeunes loups organisés en commando, qui suivent Emmanuel Macron depuis Bercy, ont traversé l'épreuve du feu avec lui, gagnant leur place au soleil. À l'Élysée, ils pilotent sa politique et sa communication avec rang de hauts conseillers et sont devenus, pour deux d'entre eux, ministres de la République. La conquête du pouvoir a été leur grande bataille, elle les a soudés.

Ils n'ont qu'un regret : l'époque bénie où ils vivaient en étroite proximité avec le candidat. Ils ont épongé la sueur qui perlait sur son front au sortir des meetings, l'ont côtoyé torse nu, l'aidant à changer de chemise, à effectuer un raccord de maquillage au pinceau. Le lien s'est distendu ; l'intimité, perdue. « Emmanuel », comme ils l'appellent encore, ne leur appartient plus.

De longs couloirs et d'imposantes portes gardées par des huissiers à chaîne se sont immiscés entre eux et lui. La pesanteur du protocole élyséen, quand le président n'est pas par monts et par vaux...

Dans leurs bureaux, ces sept inséparables affichent la même photo-souvenir, comme une relique. Tous sont assis côte à côte : la communicante Sibeth Ndiaye, unique femme de la bande, le conseiller spécial et stratège Ismaël Emelien, le conseiller politique Stéphane Séjourné, l'ancien directeur de la campagne Jean-Marie Girier, le grand maestro de la parole présidentielle Sylvain Fort, le porte-parole Benjamin Griveaux et Julien Denormandie, qui fut la tête pensante du mouvement En Marche ! à ses balbutiements.

Ces surdiplômés, pour la plupart d'entre eux, très sûrs de leur supériorité, sont les visages, souvent honnis, de la *start-up nation*. Plusieurs d'entre eux ont gravité dans la galaxie Strauss-Kahn, avant le crash du Sofitel, en 2011. Ils en ont gardé la culture Havas (ex-Euro RSCG), que leurs détracteurs les accusent d'avoir inoculée au chef de l'État, dont ils ont fait, le temps de la campagne présidentielle, un Barack Obama 4.0 à la française.

D'emblée, ils se font détester à l'Élysée. Le jour de la passation de pouvoir, leur arrivée en meute sur le tapis rouge détonne. Le petit peuple du Palais se demande qui sont ces « blancs-becs arrogants », ces « petits marquis ». Une secrétaire de François Hollande, qui boucle encore ses cartons, est sommée de quitter les lieux séance tenante pour leur céder la place. « Ils se sont réparti les bureaux à toute vitesse », persifle un habitué du Château.

Au fil des mois, les fonctionnaires de cette illustre maison s'offusquent de leurs méthodes et de leurs manières. Ils découvrent avec effroi les traces de souliers que ces jeunes gens pressés laissent au bas des portes centenaires en les ouvrant à coups de pied, les bras chargés de dossiers et le regard perdu dans leurs multiples téléphones portables. « Ils ne respectent rien, ils se croient tout permis. Ils ont pris la grosse tête », s'étrangle un employé, qui requiert l'anonymat. Car les Mormons font peur.

Quel contraste avec Brigitte Macron. Les salariés de la présidence la hissent au même niveau que leurs deux locataires préférés des vingt-cinq dernières années, Carla Bruni-Sarkozy et Jacques Chirac. « Brigitte restera dans les mémoires. C'est une femme extraordinaire. Elle est respectueuse de cette maison, de ce qu'elle représente. C'est l'entourage qui pose problème. Ils sont méfiants et paranos », accuse un pilier de l'Élysée.

Si bien que l'aile dédiée à la première dame est devenue le bureau des pleurs, le refuge où les salariés humiliés par ces grands carnassiers vont panser leurs plaies. Quand le président doit licencier un conseiller qui a fauté, son épouse se charge de le réconforter. « Dans la chorégraphie du Palais, les gens vont vers elle parce qu'ils ont mal au dos et pour lui parler de leurs problèmes professionnels », expose l'un des sept mercenaires, prompt à cantonner la première dame au rôle de consoleuse, lui niant tout poids politique.

« La vieille »

C'est un secret de polichinelle, les Mormons n'apprécient guère Brigitte Macron. Trop présente, trop influente à leurs yeux, elle peut être une redoutable concurrente, capable de ruiner leurs efforts en faisant changer son mari d'avis dans la nuit. Contrairement à eux, elle vit toujours avec lui. « Elle est la dernière personne qui lui parle le soir », résume délicatement son ami Stéphane Bern. Une gêneuse, en somme. « Certains l'appellent “la vieille” ! », s'indigne l'un de ses vieux complices.

Le quinquennat d'Emmanuel Macron démarre dans cette étrange cohabitation entre les deux ailes du Château, ce climat de guerre froide. On s'ignore, on se sourit pour la forme, on feint de se respecter. La première dame se tient prudemment à distance des jeux de pouvoir et querelles de courtisans, mais elle veut que son mari soit bien entouré. Lors de la constitution du cabinet, elle donne quelques coups de fil pour solliciter des avis, elle pousse ses favoris.

C'est elle qui fait passer à Bruno Roger-Petit son entretien d'embauche pour le poste de porte-parole de la présidence. Elle a découvert ce polémiste dans l'émission de Pascal Praud sur CNews et lisait sa prose, caustique à souhait, dans le magazine *Challenges*. « Tu devrais l'écouter ! C'est parfois critique, mais ça tape toujours juste », suggère-t-elle un jour à son mari. Les deux hommes commencent à échanger sur la messagerie cryptée Telegram. Emmanuel Macron charge sa femme de le rencontrer pour le passer au laser. Sera-t-il utile ? Loyal ? Est-il fiable ? Le candidat veut son avis. En janvier 2017, « BRP » et l'épouse se retrouvent pour le fameux examen de passage à La Rotonde. On a connu pire : les deux larrons, qui ont le même humour féroce et potache, passent l'après-midi entière à rire. Le souverainiste Philippe de Villiers, familier des lieux, les aperçoit. « Votre mari fera 60 %, vous verrez ! », pronostique ce dernier. Ce sera 66 %. Quelques mois plus tard, Bruno Roger-Petit fait partie des privilégiés conviés au restaurant de Montparnasse pour la soirée si critiquée du premier tour de l'élection.

S'il est proche du couple, aux yeux des Mormons, l'ancien journaliste n'en reste pas moins une pièce rapportée qui n'a pas fait la campagne. Pire encore, il est l'homme de Madame, ce qui en fait une cible à abattre. À l'Élysée, il est tout de suite pris en grippe. On lui reproche de raccompagner ses invités sur le perron réservé aux hôtes de marque et de passer son temps affalé sur le canapé de l'aile Madame à répondre aux textos des journalistes qui grésillent sur son portable. On se repaît de sa mine déconfite quand le président oublie de le saluer. On flatte les journalistes qui le dénigrent. Le quotidien de la Cour, avec ses intrigues et ses vilenies, comme aux pires temps de « l'ancien monde » tant décrié.

Brigitte Macron, elle, soutient les efforts de Bruno Roger-Petit, adorateur du général de Gaulle et de François Mitterrand. La « verticalité » et la ligne « Jupiter », c'est lui. Elle apprécie.

La première dame a aussi un faible pour Sylvain Fort, l'ancien « Monsieur Communication » de la campagne qui a choisi après la victoire de devenir plume du président. Un travail de moine qu'affectionne ce normalien féru de littérature et d'art lyrique, qui fuit la lumière et n'aime guère les journalistes. « À la fin de la campagne, il voulait en éventrer un. Il les traitait de connards », se souvient l'un de ses amis. Le « Balzac de l'Élysée » – son surnom –, un temps séduit par les sirènes de Nicolas Sarkozy et étiqueté très à droite, a tout pour plaire à l'ancienne professeure, fascinée par son érudition.

Emmanuel Macron l'adore. Lorsque, en juin 2017, il assiste avec son épouse à l'un des ultimes concerts de Johnny Hallyday pour la tournée des Vieilles Canailles à Bercy, le président souhaite saluer dans les loges le monstre sacré du rock français qui, épuisé par la bataille qu'il mène contre le cancer, est placé sous oxygène pour tenir le coup. Le manager de Johnny, Sébastien Farran, a expressément demandé que seul le couple présidentiel puisse entrer. Emmanuel Macron insiste et fait passer Sylvain Fort.

Brigitte Macron a plus de mal avec Ismaël Emelien, pièce maîtresse du dispositif, au même titre que le secrétaire général Alexis Kohler. Avec le président, ces deux hommes dirigent la France. Elle, si tactile et empathique, peine à cerner « Isma », ombrageux et taiseux. Question de tempérament. Elle n'adhère pas toujours à la ligne « disruptive » de cet adepte des coups médiatiques qui presse son mari de dépoussiérer le style présidentiel. C'est Ismaël Emelien, esprit brillant et atypique, qui l'incite à débattre en direct avec les bretteurs Edwy Plenel et Jean-Jacques Bourdin. C'est lui qui souffle l'idée de faire entrer la techno au Palais pour la Fête de la musique.

Les intimes de la « First Lady » le soupçonnent de tout faire pour l'écarter, au motif qu'elle nuirait à l'image du chef de l'État. Lui s'en défend. « Si c'était le cas, je ne serais pas là où je suis », évacue-t-il. « C'est un problème de génération. Ismaël, c'est un homme de commando, un ténébreux qui ne parle pas. Brigitte, c'est une femme qui doute, qui a besoin d'être rassurée. Quand vous avez besoin de réassurance et que vous tombez sur un ténébreux comme lui, ça ne va pas », décrypte un haut conseiller.

La première dame ne s'y frotte pas. Elle sait que son mari reste fidèle aux Marcheurs de la première heure et qu'il tient à avoir autour de lui des profils très divers pour « faire son miel », comme il dit.

« Souvent, elle s'énerve »

Entre les conseillers et l'épouse, le quinquennat démarre sur un pacte de non-agression, à peu près respecté des deux côtés. Il y a bien quelques montées de température.

Côté Mormons, on tente de marginaliser la première dame. Lorsqu'elle accompagne son époux à l'étranger, il faut bien fouiller sur les vidéos postées sur le site de la présidence pour apercevoir plus qu'une mèche de ses cheveux blonds. Quand le couple se rend en Inde, l'équipe trouve le moyen de la faire disparaître du « reportage » maison consacré au Taj Mahal, temple mondial du romantisme. Devant les caméras, Emmanuel Macron disserte sur ce mausolée dédié à l'amour, érigé «par un monarque qui venait de perdre l'épouse chérie». Sur les images, on cherche vainement sa femme. Comme un message subliminal.

Côté Madame, les motifs d'agacement sont légion. Brigitte Macron s'étrangle régulièrement devant les loupés de communication de son époux et s'en ouvre dans le secret de ses conversations avec ses proches : «Qu'est-ce que tu en penses? Ce n'est pas bien, non?» «Elle est souvent énervée», avoue l'un. Si elle ne se mêle pas du fond des réformes, l'ancienne professeure de théâtre est très attentive à la mise en scène, à l'incarnation du pouvoir. Alors, quand le président plonge dans les sondages, elle ne comprend pas les choix de son entourage. Comme ces innombrables petites phrases cassantes – «les Gaulois réfractaires», «ceux qui foutent le bordel», «les gens qui ne sont rien», «les fainéants» –, qu'il lâche à intervalles réguliers. Elles donnent de lui une image méprisante qu'elle ne lui connaît pas. Pourquoi les offrir en pâture aux médias? Elle pour qui le verbe est essentiel déteste ces sorties intempestives et blessantes. Pendant la campagne, elle le ramenait sur terre d'un très sec : «Fais attention, ne dis pas n'importe quoi!»

Lorsqu'elle découvre, pour les deuxièmes Journées du patrimoine, qu'il est suivi en permanence par une caméra, elle préfère s'éloigner de quelques pas.

La télé-réalité à l'Élysée, le pouvoir en direct sur Facebook, très peu pour elle. Justifié pendant les élections, cet outil de communication lui paraît déplacé dans l'exercice de l'État. Elle veut pouvoir parler aux Français qui se massent dans la foule sans espion sur ses talons. Elle redoute le pire pour son mari… Il ne tarde pas à se produire. Alors qu'il remonte la file d'attente depuis la grille du Coq, au fond du jardin, le président est interpellé par un horticulteur au chômage, à qui il suggère de « traverser la rue » pour trouver un emploi. L'échange tourne en boucle sur les chaînes d'information en continu. De ses quatre heures passées en bises échangées et poignées de main, on ne retiendra que cela.

Quelques jours plus tard, alors que le chef de l'État est en tournée aux Antilles, ravagées un an auparavant par l'ouragan Irma, une image tourbillonne et fait les délices du Front national. Lors d'une visite d'un quartier dévasté de l'île de Saint-Martin, Emmanuel Macron accorde un selfie à deux jeunes, dont un ancien braqueur tout juste sorti de prison, torse nu, et son cousin. Ils entourent le chef de l'État, doigt d'honneur crânement brandi vers l'objectif. Une attitude tout sauf présidentielle aux yeux de la première dame qui, très « tradi », ne comprend pas qu'aucun conseiller de la cellule communication – ils sont trois présents sur place – n'ait empêché le geste injurieux et contraint le jeune à enfiler un tee-shirt.

Pour sa part, lorsque des passants lui réclament une photo, dont elle sait qu'elle peut enflammer les réseaux sociaux, Brigitte Macron veille toujours à ce que la décence soit assurée, que l'image soit irréprochable. Comme avec ces deux rugbymen croisés un jour dans la rue : elle a attendu qu'ils soient débarrassés de leur verre de bière pour poser à leurs côtés. Avec elle, c'est tenue correcte exigée.

« Ce n'est pas quelqu'un qui tourne autour du pot. C'est ce que redoutent un certain nombre de gens dans l'entourage du président », applaudit Gérard Collomb.

Une chose aussi agace les conseillers : elle a le canal direct avec nombre d'influents « textoteurs du soir », ces visiteurs du soir du « nouveau monde », souvent issus de l'ancien. Contrairement à ses prédécesseurs, le président ne reçoit pas à la nuit tombée. Il préfère tapoter sur son portable, roi des SMS à l'heure où la France dort. La première dame s'entend à merveille avec l'ancien sherpa de François Mitterrand, Jacques Attali, qui fut l'un des mentors de son mari. Elle aime échanger avec Jean-Marc Borello, le grand patron social du groupe SOS, ancien éducateur de délinquants, qui a été le professeur de son mari à Sciences Po.

Quand les temps sont durs, elle appelle aussi le communicant Philippe Grangeon, membre fondateur d'En Marche !. Souvent, elle tombe d'accord avec les analyses de ces vieux briscards, qui ont conseillé d'autres présidents et ne prennent pas de gants.

L'été meurtrier

L'affaire Benalla dynamite cet équilibre déjà précaire. À l'Élysée, cette première secousse tellurique du quinquennat modifie considérablement les rapports de force. Et fragilise les positions de l'épouse, au profit des Mormons.

Rien ne va plus pour l'aile Madame. Dans ce conflit ouvert, tous les coups sont permis. La première victime collatérale s'appelle Bruno Roger-Petit. Alors que l'affaire de l'homme à tout faire des Macron explose, le porte-parole est crucifié en place publique, envoyé en mission-suicide devant les Français pour justifier l'injustifiable dans une allocution télévisée surréaliste – sa première et dernière –, où il est contraint de lire un tissu de mensonges. « J'y suis allé avec les baïonnettes dans le dos », confie-t-il, visant sans le nommer le stratège en chef Ismaël Emelien. « Ils savaient qu'ils l'envoyaient au casse-pipe, c'est dégueulasse. Ce ne sont pas des gentils. Ce sont des tueurs, des vrais méchants », étrille l'un de ses amis. Démonétisé, « BRP » est débranché de son poste de porte-parole de la présidence. Il frôle le licenciement sec et devient conseiller mémoire. Les Mormons ont obtenu le scalp du gêneur et conforté leurs positions.

Brigitte Macron a parfaitement compris le message. Elle tente d'ouvrir les yeux de son mari sur le péril qui le guette : celui de s'enfermer sur son clan. Inquiète, elle mène l'enquête, interroge ses capteurs, avec des airs de gentille conspiratrice. « Et vous, dites-moi, qu'en pensez-vous ? Comment améliorer les choses ? Je lui ferai remonter. » Elle cherche à comprendre ce qui a dysfonctionné pour que la machine élyséenne s'enraye à ce point, exposant dangereusement son époux, le laissant s'effondrer dans les enquêtes d'opinion. Trop isolé, pas assez protégé.

Elle n'est pas seule à le penser. « Dans l'histoire Benalla, si le système avait fonctionné, avec des collaborateurs lucides, quelqu'un aurait pris la foudre sur lui pour le protéger », argumente un « textoteur du soir ». « Ils ont beau être suffisants, ce sont des amateurs », persifle un autre.

Replié sur sa garde de fer, le président voit, cet été-là, son pouvoir s'écrouler comme un château de cartes. Il s'enfonce dans la crise, s'emmure, n'écoute plus. Pas même son épouse, qui s'exile au Touquet, laissant le champ libre aux conseillers.

Une nouvelle vexation lui montre à quel point sa situation s'est fragilisée. Lorsque se profile le déplacement du chef de l'État aux Antilles, la première dame ne fait pas partie de la délégation, elle n'est pas la bienvenue. Cette visite doit être la première étape de l'opération reconquête de l'opinion imaginée par les stratèges du cabinet présidentiel pour effacer la désastreuse affaire Benalla et les ratés des derniers mois. Jugé trop arrogant et hautain par les Français, Emmanuel Macron doit apparaître en empathie avec les populations sinistrées, roi thaumaturge guérissant les blessés. Il doit aller au contact, tout en proximité. Toucher les corps, sécher les larmes, embrasser les enfants, réconforter les parents. Une superproduction qui suppose qu'il soit seul sur scène. Pas question de partager la lumière, *a fortiori* avec l'épouse, si populaire.

Ambiancé par ses conseillers, le président lui propose de l'accompagner juste avant le périple caribéen à New York, pour la session annuelle de l'ONU et de rentrer seule à Paris, tandis que lui mettra le cap vers les îles. Fine mouche, la première dame décèle le piège : être accusée de snober les populations d'outre-mer, leur préférant le gotha diplomatique. Elle lui répond que ce sera tout ou rien. Les jours se passent et, au sein du cabinet, un intense bras de fer se joue pour savoir si elle doit être du voyage. Les Antillais seraient ravis, invoquent les partisans de sa venue. Elle nuirait à l'opération empathie, rétorquent ses opposants. Le Palais bruisse de cette drôle de tempête. Jalousie, enragent ses amis, convaincus qu'elle attire la bienveillance sur son mari.

Emmanuel Macron finit par revenir à de meilleures dispositions et lui propose, à quelques heures du départ, de l'accompagner aux États-Unis et dans les Antilles. « Tu as raison, il faut que tu viennes. » Trop tard, rétorque Brigitte Macron, qui a déjà pris des engagements officiels. Agacée, elle refuse : « La prochaine fois, tu m'écouteras moi, et pas tes conseillers ! » Ils vont passer sept jours entiers l'un sans l'autre. La plus longue séparation depuis leur mariage.

Elle est sous surveillance. Contrainte à une vigilance de chaque instant. À l'Élysée, les Mormons dissimulent à peine le mépris que leur inspirent les questions qui ont trait à la première dame, considérée comme quantité négligeable, reléguée au rang de chair à canon pour la presse people, et en aucun cas un élément constitutif de la reconquête de l'opinion. Ils ne veulent pas même essayer : ce serait un crime de lèse-conseiller.

L'un de ces collaborateurs haut placés que nous devions rencontrer pour cette enquête a annulé *in extremis* notre entretien, en nous faisant savoir qu'il ne serait pas reprogrammé.

Dans les couloirs du Palais flotte un parfum amer de paranoïa et de suspicion, qui inquiète au plus haut point les nombreux amis de la « First Lady ». « C'est l'union sacrée contre Brigitte. Ils veulent qu'elle dégage. J'ai peur pour ce couple », s'alarme une élue. Tandis qu'un de ses vieux compagnons de route lâche ce qu'il a sur le cœur : « Ils rêvent qu'elle meure. Pour eux, ce veuf éploré, ce serait formidable. Ils sont amoureux de lui. La nuit, ils rêvent de la faire disparaître… »

QUATRIÈME PARTIE

Première dame

14

Le courrier du cœur

C'est l'un des endroits les plus discrets de la République. Il faut montrer patte blanche pour pénétrer au service de la correspondance présidentielle, installé dans une aile du palais de l'Alma, au bord de la Seine. C'est ici, dans ces anciennes écuries royales non loin de l'Élysée, que parviennent toutes les missives adressées aux locataires du 55, rue du Faubourg Saint-Honoré. Il suffit d'inscrire le nom de la première dame pour que la lettre arrive à bon port. De temps à autre, des courriers lui sont envoyés à Brégançon ou au Touquet, avant de reprendre le chemin de la capitale. Sur les feuilles de papier que trient les employés de l'Alma, on jette des bouteilles à la mer, on appelle au secours, on couche reproches ou compliments. Chaque jour, deux cents Français prennent la plume pour s'adresser à « Madame la présidente », comme ils l'appellent parfois sur les enveloppes. C'est plus que pour celles qui l'ont précédée, presque autant que pour un petit ministère.

La « petite marche »

C'est devenu un rituel. Tous les soirs lorsqu'elle est à Paris, Brigitte Macron s'installe à son bureau en fin de journée, avant le dîner. Devant elle, des piles de parapheurs noirs et bordeaux, des dizaines de courriers à signer. Entre chaque intercalaire, elle découvre des tranches de vie de ses concitoyens, des messages protocolaires, des causes qu'elle est invitée à appuyer. Seule, elle lit, consulte les réponses préparées par son cabinet, les annote au besoin, appose quelques mots pour personnaliser autant que faire se peut les missives, avant de signer « B. Macron ». Avant de lui parvenir, les messages ont été trois fois filtrés : par le service du courrier présidentiel d'abord, où le passé épistolaire des auteurs est contrôlé ; par les conseillers du président, si les sujets le nécessitent ; par ses collaborateurs, qui ébauchent une première réponse. Ces derniers assurent faire du sur-mesure, ne pas expédier de lettres types. Raison pour laquelle les délais sont un peu longs, s'excusent-ils, de plusieurs semaines à plus d'un mois pour obtenir un retour de l'aile Madame, victime de l'enthousiasme qu'elle suscite. Les requêtes les plus urgentes, celles qui concernent des situations désespérées, sont directement transmises aux préfets. Les autres suivent leur chemin dans les méandres des services élyséens. Ces séances de lecture sont parfois douloureuses. Drames familiaux, difficultés à boucler les fins de mois, à se loger, à scolariser un enfant handicapé… Quand ils ont épuisé tous les recours et ne savent plus vers qui se tourner, nombre de Français s'en remettent à Brigitte Macron.

Son mari avait lancé une « grande marche » dans le pays pour élaborer son programme de candidat, sur la base de témoignages de Français anonymes consultés lors d'un porte-à-porte géant. À sa manière, la première dame a entamé sa « petite marche », sur les traces de ces inconnus qui l'interpellent par écrit. C'est sur la base de leurs messages qu'elle compose son agenda et décide des initiatives qu'elle veut lancer. Elle s'adapte, tricote son rôle au gré de ces sollicitations particulières, refusant de s'engager sur un dossier en particulier, contrairement à celles qui l'ont précédée.

L'usage veut que les épouses des chefs d'État français se dévouent à une cause humanitaire ou caritative. Presque toutes ont créé leur propre fondation – souvent à leur nom –, quand elles ne se sont pas investies dans celles mises en place par d'autres premières dames. Pas la femme d'Emmanuel Macron. Lorsqu'elle est arrivée à l'Élysée, elle n'avait pas en tête de grande cause précise à soutenir ou d'engagement prédéterminé. « Quand il est devenu président de la République, elle a eu l'intuition qu'il ne fallait pas décoller du réel et elle s'est investie sur les personnes qui sont dans l'angle mort des politiques publiques. Elle fait entendre la voix des sans-voix. Elle ne cherche pas à en tirer une gloire médiatique, elle le fait discrètement, pas avec dix caméras », salue son ami, le président de l'Assemblée nationale, Richard Ferrand.

À travers leurs courriers, ce sont les Français qui ont choisi pour elle ses thématiques, à la lisière de l'éducation, de la santé et de l'enfance : l'autisme, le handicap, le harcèlement, les « vulnérabilités » comme on dit pudiquement à l'Élysée. Et l'enseignante de se muer en première assistante sociale de France.

C'est cette femme qui a monté une entreprise fabriquant des vêtements pour les personnes invalides, cette maman désespérée de ne pas trouver de place d'accueil pour la prise en charge de son fils autiste, ces familles qui se battent pour empêcher la fermeture d'une classe, d'autres frappées par un deuil… Sans doute considèrent-ils que son expérience d'enseignante la rend plus sensible à leurs difficultés, sans parler de son statut de mère et de grand-mère. « Elle reçoit comme moi des courriers de parents catastrophés », confie le ministre de l'Éducation, Jean-Michel Blanquer.

Brigitte Macron n'a pourtant pas de baguette magique pour soulager les drames et réparer les blessures. Les services de l'État ne sont pas à sa disposition, ni sous son autorité. Drôle de titre que celui de première dame. À quoi correspond-il ? À quoi oblige-t-il ? Aucune loi ne le précise. Depuis l'été 2017, une charte dépourvue de valeur juridique encadre les actions du conjoint du chef de l'État. Il est inscrit noir sur blanc que Brigitte Macron est tenue de répondre aux sollicitations écrites des Français et personnalités qui souhaitent la rencontrer, et d'assurer la représentation de la France aux côtés du président lors de ses déplacements officiels à l'étranger. Propulsée maîtresse de maison en chef, c'est à elle qu'incombe la tâche de superviser les réceptions au Palais. Elle a aussi l'obligation de soutenir par son parrainage ou sa présence toute manifestation participant au rayonnement international du pays.

Un emploi à temps plein, sans rémunération, qui nourrit pourtant tant d'attentes. « Elle a tous les inconvénients sans aucun avantage », résume son entourage. Une fonction éminemment exposée, sans définition précise. « Ce n'est pas un job, nuance le communicant Philippe Grangeon. C'est un alliage, une allure, des actes, des symboles, une représentation. Elle a donc une responsabilité. »

« Je vais mourir, là... »

Ceux qui la sollicitent ont droit à une réponse. Parfois, elle va à leur rencontre. Son cabinet ne dévoile ces rendez-vous que bien après, à la fin de chaque mois. « Visite de l'unité fonctionnelle de médecine palliative avec l'équipe soignante et les enfants à l'hôpital universitaire Necker-Enfants malades », stipule son agenda en novembre 2017. Derrière ces mots neutres et cliniques, qui imagine la charge émotionnelle qui est la sienne ? La première dame effectue ce jour-là sa première visite dans cet établissement. Elle fait la connaissance de la maman de Myriame, petite fille de 4 ans qui vient d'être greffée du cœur, une plaque de verre encore posée sur son thorax ouvert. Les médecins lui expliquent qu'elle n'a qu'une chance sur trois de se réveiller. La mère de la fillette la prie d'enregistrer un message vidéo sur son portable, au cas où sa petite s'en sortirait. La première dame se prête volontiers à l'exercice. Quelques semaines plus tard, un dessin arrive à l'Élysée. Une main d'enfant a crayonné des sapins de Noël avec des boules en forme de cœur et griffonné ce message : « Merci Brigitte. » Elle l'a affiché dans son bureau.

Ce rôle, elle l'endosse avec cœur. Rien dans sa vie ne l'avait préparée à se retrouver au contact de pareils drames, n'était-ce la présence d'un élève autiste, bien avant, dans l'une de ses classes. Pour comprendre les douleurs, les maux, les carences de l'État, elle donne de sa personne. Les malheurs qu'elle découvre la heurtent. Cela se traduit par le temps qu'elle prend. Comme lors de ce déplacement effectué avec son mari à l'hôpital de Rouen : dans la délégation officielle, on s'étonne de la voir s'accroupir au niveau des enfants pour leur parler, puis prendre longuement dans ses bras un bébé atteint d'une grave malformation tout en discutant avec sa mère. Ces rencontres la bouleversent, comme lorsqu'elle se rend dans l'Oise chez Jean Vanier, chrétien nonagénaire qui voue sa vie aux déficients mentaux. Main dans la main, ils visitent le foyer où travaillent des personnes lourdement handicapées. « C'était très dur », se souvient un proche. De même lorsqu'elle se trouve en face de femmes et d'enfants abusés. Que dire ? Que faire ? Leur douleur est intense, si dure à affronter. Parfois, elle chancelle : «Je vais mourir, là, je n'en peux plus... »

Ministre des vulnérabilités

« Si je peux être utile, il faut me le dire, mais je ne veux pas m'immiscer», répète-t-elle aux ministres qu'elle côtoie. Pour élaborer ses missions de « First Lady», Brigitte Macron prend conseil auprès de ces experts gouvernementaux. La discrète Sophie Cluzel, secrétaire d'État aux Personnes handicapées, est celle qu'elle fréquente le plus. La première dame aime cette femme courage, infatigable militante, qui a renoncé à sa carrière à la naissance de sa fille, atteinte de trisomie, pour s'engager dans le combat associatif. Clin d'œil de la vie, mère et fille se croisent à l'Élysée : Julia, devenue jeune femme, travaille au service de l'intendance du Palais depuis 2015, recrutée sous le mandat de François Hollande. Très sensible à la question du handicap et de l'autisme, Brigitte Macron multiplie les visites de terrain avec la secrétaire d'État. Rares sont ceux qui le savent, car elle exige qu'il n'y ait pas de caméras.

La ministre des Solidarités et de la Santé, Agnès Buzyn, l'a aussi reçue à plusieurs reprises dans son grand bureau blanc épuré d'où l'on contemple la tour Eiffel, pour l'aider à choisir les causes qu'elle souhaitait embrasser. Elle lui donne respectueusement du « madame Macron » et la vouvoie. « On sent qu'elle veut être utile. Elle est passionnée par les sujets de ce ministère : l'enfance, la maladie, les vulnérabilités. On a passé en revue les sujets qui l'intéressaient », dévoile cette hématologue respectée, qui a longtemps officié dans le secteur hospitalier. Elle lui a déconseillé de se consacrer à une seule maladie pédiatrique, pour que les autres petits patients ne se sentent pas abandonnés.

Agent facilitateur, Brigitte Macron n'hésite pas à épauler ses ministres favoris, mettant son aura à leur service afin d'appuyer les causes qu'ils veulent promouvoir. Sa présence sur un de leurs déplacements, elle le sait, attire les médias comme un aimant et décuple leur intérêt. Quand Marlène Schiappa dévoile sa loi sur les violences sexistes et sexuelles en vue de verbaliser le harcèlement de rue, la première dame l'accompagne le soir même au théâtre Antoine pour assister à une pièce consacrée au sujet de la pédophilie, en octobre 2017. L'affaire Weinstein bat son plein. En France comme dans le reste du monde, des femmes protestent, dénoncent les agissements de leurs harceleurs, révèlent leurs meurtrissures, racontent leurs agressions sur les réseaux sociaux ou dans la presse. Ce soir-là, Brigitte Macron glisse quelques mots aux journalistes discrètement conviés : « La libération de la parole, c'est ce qui peut arriver de mieux. Elles sont très courageuses de le faire et je pousse vraiment à rompre le silence. » Reprises garanties et un plan de communication parfaitement maîtrisé pour la secrétaire d'État chargée de l'Égalité hommes-femmes.

Ses apparitions publiques et prises de parole sont aussi rares que calibrées. Sa force de frappe médiatique n'en est que décuplée.

Jean-Michel Blanquer a compris tout le bénéfice qu'il pouvait tirer de sa popularité. Pour sa première rentrée des classes, il lui demande de lire un texte de la lauréate du prix Goncourt Leïla Slimani pour la « dictée d'ELA », association qui lutte contre les leucodystrophies, des maladies orphelines. Un retour aux sources pour l'ancienne enseignante, qui accepte volontiers de mettre l'orthographe des collégiens à l'épreuve, dans un établissement parisien. « Quand elle lit, c'est un peu Superman qui enfile sa cape ! », plaisante Blanquer. Le jour dit, les flashes des photographes crépitent, pas uniquement par amour des belles lettres, plutôt pour l'attrait médiatique qu'elle exerce.

Même engouement six mois plus tard, lorsqu'elle escorte de nouveau son ministre préféré dans un lycée de Dijon, vêtue d'un sweat à capuche de circonstance. Un puissant coup de projecteur, sur la campagne contre le harcèlement scolaire cette fois.

Brigitte Macron a mis du temps à intégrer qu'elle pouvait être un porte-voix pour certaines causes peu visibles. « Au début, elle ne comprenait pas, elle nous demandait toujours pourquoi on la sollicitait elle, et pas tel ou tel ministre », explique l'un de ses conseillers. Désormais, elle ne discute plus de l'opportunité de mettre sa présence au service des causes qui lui sont chères. Quitte à inventer des formats inédits et à jouer son propre rôle dans la mini-série humoristique *Vestiaires* consacrée au handicap, sur France 2.

Jamais l'épouse d'un président français ne s'était prêtée à un tel exercice. C'est la productrice Sophie Deloche qui a eu l'idée de démarcher son cabinet, plutôt allant : « Il n'appartient pas à la première dame de faire des discours sur les causes qui lui tiennent à cœur, ni de multiplier les déplacements médiatiques. Cela relève du champ ministériel. Il ne lui reste pas grand-chose… » Va donc pour la fiction. « Je ne sais pas faire ça ! », rétorque d'abord Brigitte Macron, qui y réfléchit à deux fois. Sa participation pourrait aider à changer le regard sur le handicap, en captant l'attention du public, sans empiéter sur les prérogatives du gouvernement. Une manière, l'air de rien, de s'aventurer dans le champ politique à petits pas sur une thématique sociale, au moment où son mari est perçu comme le « président des riches » et des « premiers de cordée ». L'épisode, du fait de sa seule présence, sera très suivi.

Parfois, pourtant, le poids sur ses épaules lui pèse. D'autant que le phénomène est devenu mondial. « Depuis la mort de Lady Di, il n'y a pas eu une femme comme vous capable de porter un message », lui glisse un jour le patron de l'Organisation mondiale de la santé (OMS). Écrasante référence. Réponse lapidaire de l'intéressée, interdite : « *Yes…* »

15

Première ambassadrice de France

Comment passe-t-on en deux ans d'une salle de classe aux dîners d'État avec les dirigeants de ce monde ? Brigitte Macron a dû apprendre sur le tas, en accéléré. Dix jours après la prise de fonctions de son mari, elle se retrouve projetée dans la cour des grands au sommet de l'OTAN en Belgique, puis en Sicile pour la réunion des pays du G7. Sous la lumière crue des projecteurs, sans guide, sans professeur, elle n'a pas le droit à l'erreur.

Elle a beau raffoler des musées, en ce matin de mai 2017, son humeur est maussade. Le trac l'étreint lorsqu'elle arrive sur la place Royale de Bruxelles pour découvrir les œuvres du plus célèbre des peintres surréalistes belges, Magritte. C'est une journée particulière pour l'ancienne enseignante, qui fait son entrée dans le monde aussi feutré que codifié des visites officielles. Le protocole l'impose : bien qu'elle n'ait pas été élue, elle se doit d'accompagner son mari dans ses déplacements importants à l'étranger.

« Stop ! Je veux descendre »

Elle s'y est préparée du mieux qu'elle a pu, en catastrophe. Elle découvre qu'elle prendra part à cette tournée, la première de son époux, alors que la cellule diplomatique du président est en cours de constitution. Un « programme de première dame » a été concocté par les autorités belges. « *Girly* à souhait », se souvient un membre de la délégation française : visite de musée, shopping chez un maroquinier de luxe, avant les galeries d'azalées, de géraniums et de fuchsias des somptueuses serres royales de Laeken. Novice, Brigitte Macron ne maîtrise rien des usages en vigueur dans l'univers guindé des virées officielles. Le rigoureux service du protocole de l'Élysée se tient à sa disposition pour l'aider à dérouler cette partition millimétrée, mais elle ne connaît pas sa réelle marge de manœuvre. Alors elle avance à tâtons, sans savoir ce qu'elle a le droit de faire ou non. Avec une pointe de stress, tant ses faits et gestes attisent la curiosité des journalistes du monde entier. Cette première à l'étranger sera très scrutée, elle en est consciente.

Elle a beau savoir depuis longtemps que ce moment va arriver, elle le redoute. Tant de raisons l'expliquent. Si elle comprend correctement l'anglais, elle s'exprime plus péniblement dans cette langue. Au point d'envisager de prendre des cours. Et puis elle ne connaît personne. Appliquée, elle a lu avec assiduité les fiches qui lui ont été préparées. Ça n'empêche pas l'un de ses fidèles de redouter le pire, sur le coup : « Ça va être horrible pour elle... » Et si ses premiers pas viraient au cauchemar ?

Elle n'est pas tout à fait l'apprentie que ses supporters décrivent, pourtant. Sa vie passée l'a entraînée, préparée à ce qui l'attend. Habituée à graviter dans la haute société, elle connaît les codes des dîners en ville, ces échanges enlevés que l'on tisse avec de parfaits inconnus rassemblés autour d'une table. Les réceptions données du temps de Bercy l'ont accoutumée à fréquenter de telles assemblées.

Alors elle se lance, pénètre dans l'imposant édifice néoclassique, et s'avance vers ses homologues. Quelques minutes plus tard, la glace est rompue. Première dame parmi les autres, elle devise d'un ton enjoué avec les huit autres épouses présentes, sans oublier Gauthier Destenay, mari du Premier ministre du Luxembourg, seul homme de cette équipée.

Un rapide tour devant les œuvres du maître et, déjà, il faut repartir. Le programme suit son cours tambour battant. Dans sa voiture officielle, Brigitte Macron comprend qu'elle va être conduite d'un point à l'autre, sans marquer la moindre pause. À travers les vitres teintées, elle aperçoit la foule massée sur le bord de la route, tenue à l'écart par des barrières de sécurité. « Stop ! Je veux descendre », intime-t-elle au chauffeur.

Assises à ses côtés à l'arrière, les femmes du président du Conseil italien et du Premier ministre japonais sont stupéfaites. Le véhicule s'arrête, contraignant tout le cortège à l'imiter, à commencer par la voiture transportant Melania Trump. Chargé de la sécurité de la « First Lady » américaine, le *Secret Service* n'en croit pas ses yeux. Aux États-Unis comme à l'étranger, les agents de cette unité d'élite dictent leurs consignes draconiennes au couple présidentiel. Cette halte impromptue les fait sortir de leurs gonds.

Malgré leurs cris, la Française refuse d'obtempérer. Elle se dirige vers ces mains qui se tendent, les attrape, les touche, avant de retourner s'asseoir dans le véhicule. Brigitte Macron prend alors cette décision : « Je veux systématiquement que, dans le programme, il y ait un moment à moi, dans la rue, avec les gens. Sinon, je ne verrai jamais rien de ce monde, à l'exception des vitres fumées. »

Ces petites escapades à pied sont devenues la règle, au point d'être intégrées dans chaque programme officiel.

Les papilles de Trump

Le lendemain soir, sur la terrasse du Belmond Grand Hotel Timeo, luxueux établissement accroché aux collines rocheuses de la côte est de la Sicile, à Taormina, elle embrasse la vue du regard. Les flots de la Méditerranée scintillent sous la brise fraîche. Une élégante table attend ses prestigieux convives parmi lesquels les dirigeants des sept plus grandes puissances économiques et leurs conjoints. Elle ouvre grand les yeux, scrute les invités, le ballet des maîtres d'hôtel, les mets délicats, la vaisselle Versace. Soudain, son attention est happée par l'étrange comportement de Donald Trump.

L'Américain boude son assiette. Le menu a pourtant été exécuté par un chef réputé. Le président des États-Unis n'y est guère sensible. Les serveurs emplissent son verre de Coca Zéro qu'il engloutit goulûment, mais il ne touche pas aux plats.

Ce détail culinaire lui revient en mémoire quelques semaines plus tard, quand Emmanuel Macron l'informe que Melania et Donald Trump viennent célébrer le 14 Juillet à Paris. Un dîner privé est programmé. L'enjeu est de taille. Le moment se doit d'être inoubliable. Quoi de mieux que la tour Eiffel et son restaurant, Le Jules Verne, comme cadre des agapes ? Inquiète, elle appelle le chef Alain Ducasse, chargé de préparer le festin, pour lui faire part de son tourment : et si Donald Trump ne touchait pas à son plat ? Un drame au pays de la gastronomie. Elle imagine avec hantise les verres qui tintent, le cliquetis des couverts, dans un silence gêné.

Alain Ducasse n'est pas plus rassuré. Les services du protocole américain ont envoyé des recommandations à leurs homologues parisiens. Sans doute les mêmes que pour son confrère de Taormina, avec un résultat désastreux… Que faire pour satisfaire le palais de l'orageux businessman à la tête de la première puissance mondiale ? Seule la cheffe de la Maison-Blanche, Cristeta Comerford, détient les clefs de cette énigme gustative.

Dans le plus grand secret, des émissaires s'activent pour percer le mystère. Le verdict tombe : « The Donald » raffole de sole meunière. Soucieux de sa silhouette, il apprécie que le beurre blanc soit disposé dans un petit pot à part, pour arroser le poisson à sa guise. Il aime les légumes très cuits, et consomme sa viande à l'américaine, façon semelle. Il faudra faire l'impasse sur le bœuf de Kobe calciné, sa véritable gourmandise, pour des raisons diplomatico-gastronomiques : les ingrédients français doivent primer. Un tournedos Rossini arrosé de foie gras devrait lui plaire. L'Américain a un autre péché mignon, le « *meat loaf* », un pain de viande rustique qui lui rappelle sa grand-mère. Il aime que ce pâté en croûte soit à la carte des lieux qu'il fréquente. Ducasse n'en demandait pas tant. Ces précieuses informations en main, il file en cuisine concocter son menu.

Le soir venu, Donald Trump découvre une variation du « *meat loaf* » dont il raffole en amuse-bouche. Comme à la maison, au-dessus de la Ville lumière. Dans son verre, point de grand cru, mais du Coca Zéro. Son épouse, elle, goûte un peu de vin blanc.

Seule ombre au tableau, la barrière de la langue complique un peu la soirée de la première dame. Un interprète est présent, mais elle rechigne à le solliciter. « Elle était un peu larguée par moments », concède un proche. D'autant que l'Américain ne fait aucun effort et s'exprime avec des mots d'argot qu'elle ne saisit pas. Brigitte Macron ne lui en tient pas rigueur, et le trouve même « cool » (*sic*) !

Sur la nappe blanche décorée de bouquets pastel, le dîner se déroule pour le mieux. Le président des États-Unis se délecte de ce menu composé sur mesure, en trois quarts d'heure montre en main, conformément aux strictes exigences du protocole américain.

Conversations avec Melania

Quoi de commun entre la « First Lady » américaine et la première dame ? Tout les oppose. Melania Trump, née Knavs, a vu le jour en Yougoslavie, fille d'un concessionnaire communiste et d'une employée du textile slovène. Adolescente, elle s'extirpe de son milieu d'origine par la grâce de sa beauté flamboyante, qui lui ouvre les portes de la mode et de l'Occident. À la Maison Blanche, la troisième épouse de Donald Trump doit rigoureusement se conformer aux préconisations du *Secret Service* pour le moindre de ses faits et gestes, contrairement à la Française, qui revendique et met en scène sa liberté, chaque fois qu'elle le peut.

Avec leurs dix-sept ans d'écart, elles sont néanmoins tenues de s'entendre, pour perpétuer l'amitié historique entre les deux nations alliées. Les deux femmes ont aussi grand intérêt à le faire, pour mieux démultiplier leur notoriété respective et renforcer leur capital sympathie. Leur relation naissante est épluchée dans les moindres détails, bien qu'elles n'aient passé, en tout et pour tout, qu'une poignée d'heures ensemble. Les attentions qu'elles multiplient l'une envers l'autre font les joies des gazettes people du monde entier.

Elles ont pris le temps de se découvrir lors de la visite estivale des Américains à Paris, profitant d'une promenade en Bateau-Mouche sur la Seine et d'une visite de la cathédrale Notre-Dame de Paris. Ce n'était pas le premier choix de la Maison Blanche, qui voulait… privatiser le musée d'Orsay. Qu'importe le décor, Melania Trump et Brigitte Macron se racontent leurs villes, New York et Amiens, évoquent leur vie d'épouses de président, leurs contraintes respectives et, surtout, leurs enfants. « Elle est très mère de famille, très maman. Chaque fois, elle me demande comment vont les miens[1] », décrit Brigitte Macron. Elle apprécie son homologue, bien que la conversation ne soit pas toujours aisée. Souvent, un ange passe, et il faut relancer. « Les échanges sont parfois un peu poussifs », murmure un proche dans la confidence.

Des rencontres protocolaires à l'amitié, il y a un pas que ni l'une ni l'autre ne prétend franchir. Entre les deux femmes, pas de contacts privés, même si Brigitte Macron soigne leur lien. Lorsque l'Américaine est brièvement hospitalisée, elle lui adresse un mot de convalescence par l'intermédiaire de l'ambassade. Elle veille aussi à apporter sa touche personnelle aux cadeaux protocolaires. Lors de la visite d'État du couple Macron à Washington, au printemps 2018, elle remet un dessin de sa petite-fille Emma à Barron, le fils de Melania Trump. « Un cadeau adorable », remercie l'Américaine. De même, lors de la

1. Entretien avec les auteures au palais de l'Élysée, 20 juin 2018.

cérémonie du baptême de Yuan Meng, le bébé panda prêté par l'empire du Milieu au zoo de Beauval, dont elle est la marraine, elle transmet à l'ambassadeur de Chine un dessin de panda de sa petite-fille, pour l'épouse du président Xi Jinping.

La hantise de l'impair

Avant l'Élysée, Brigitte Macron a peu voyagé. Question de génération et d'habitudes estivales au Touquet. Ce n'est pas tout. La confidence est jalousement protégée : l'épouse du président ne raffole pas de l'avion. « Elle a du mal avec les petits coucous à hélices quand il ne fait pas beau », confie un intime. Pour dompter sa peur, elle a son remède. Une chanson au décollage. Dans ses écouteurs, elle met la mélodie envoûtante de la bande-son du film *Drive*. De la musique électro pour déjouer la crainte des airs.

Leur dernier voyage les a conduits à Los Angeles, en Californie, avant que le pouvoir ne happe son époux. Adolescente, elle avait déjà séjourné aux États-Unis… dans une famille de croque-morts. Les Macron ont aussi leurs habitudes en Italie. Elle connaît bien la Ville sainte de Rome pour avoir effectué sa scolarité dans une institution catholique. Elle y est retournée en tant qu'enseignante d'établissements religieux. «J'ai fait quinze ans chez les sœurs du Sacré-Cœur, donc je connais très bien le Vatican. Quand on monte sur le toit de Saint-Pierre, c'est magnifique. C'est la ville au monde qu'on connaît le mieux, confie la première dame, l'air rêveur. Emmanuel est un amoureux de Naples, et moi sur le Forum de Rome, je suis comme chez moi. On se promène sur nos racines. »

Depuis, elle sillonne le monde. Finie l'insouciance de la vacancière qu'elle fut jadis, elle prépare méticuleusement ses déplacements avec ses deux collaborateurs et le protocole, consciente de sa responsabilité. « Une première dame, c'est une ambassadrice de son pays », énonce Claude Chirac, fille de l'ancien président. «Je prépare toujours pour ne surtout pas commettre d'impair, parce que ça a des conséquences. Et ce ne sont pas des conséquences pour moi, mais des dommages collatéraux pour le président et pour les Français », énonce Brigitte Macron.

Elle a commis une fois une maladresse, passée relativement inaperçue. Début 2018, lors d'une visite d'État à Pékin, elle arpente tard le soir une exposition avec son mari. Quelques journalistes sont présents, un micro se tend. On l'interroge sur ce déplacement en République populaire de Chine et sa découverte des impressionnantes fortifications militaires érigées pour protéger les frontières, plus tôt le matin. La première dame ose cette boutade : « Si tu n'as pas vu la muraille de Chine, tu n'es pas un homme ! » À la faveur du décalage horaire et de la fatigue des reporters, la bourde passe relativement inaperçue.

Elle fait figure d'exception tant Brigitte Macron veille au moindre détail. Romans, guides, fiches sur les personnalités qu'elle va rencontrer, elle lit tout. Avant la délicate visite officielle du couple au Saint-Siège, elle dévore la littérature disponible pour se tenir prête. «J'ai lu sur le pape François, je connais les problèmes actuels de l'Italie, les relations entre le Vatican et l'Italie», énumère-t-elle, peu avant ce déplacement à hauts risques.

Avant chaque visite, elle répète dans l'aile Madame les programmes chronométrés que lui fournit le protocole. Elle veut savoir où elle sera placée, en toute circonstance. Elle a pris l'habitude de se faire imprimer des plans, des photos des sites, ainsi que des clichés des précédents couples présidentiels lors des dîners d'État. Elle souhaite emmagasiner le plus de références possibles pour se sentir à l'aise et se concentrer sur les discussions.

Nouveaux amis

Au fil de ces expéditions, Brigitte Macron a appris les codes, s'est familiarisée avec ses nouveaux «collègues». Elle s'est prise d'affection pour certains, comme l'épouse de l'ancien président du Conseil italien, l'architecte Emanuela Mauro. Las, les élections sont passées à Rome et Paolo Gentiloni a quitté son poste. Les deux femmes se sont perdues de vue. «C'est toujours mieux les rois, ça reste…», sourit un conseiller de l'Élysée. Ses relations avec les conjoints se sont fluidifiées. «On vit tous la même chose», décrit-elle. Exception faite des règles draconiennes en matière de sécurité, dont elle s'affranchit volontiers : « Ils sont tous stupéfaits par ma liberté d'aller et de venir ! »

Qui l'eût cru, la première dame entretient aussi d'excellentes relations avec Vladimir Poutine. Au printemps 2018, elle reçoit, fait rare, un carton d'invitation spécifique à son nom pour le Forum économique de Saint-Pétersbourg. Le maître du Kremlin tient à ce qu'elle soit présente. Sur place, il multiplie les attentions, lui remettant en mains propres un joli bouquet de roses claires et de pivoines à son arrivée au Palais Constantin. Il demande expressément à l'avoir pour voisine de table lors du repas de gala. Avec elle, insigne marque d'attention, il fait même l'effort de parler en anglais. Brigitte Macron reste cependant sur ses gardes.

« Avec les chefs d'État, je fais très, très attention. Je m'exprime très peu. Je ne suis pas politique. Il y a de tels enjeux… » Elle esquive sciemment les sujets glissants, même avec ceux qu'elle connaît le mieux, comme la chancelière allemande. « Je m'entends bien avec Angela [Merkel], cite-t-elle à titre d'exemple. Mais je ne parle pas d'Europe avec elle, je me l'interdis. On peut en parler avec Joachim [Sauer, son époux], avec M. May [mari de la Première ministre britannique], mais pas avec Merkel. Que voulez-vous que je dise à Poutine, par exemple ? Cela peut être abyssal et extrêmement dangereux. »

Comme elle, tous ses homologues soupèsent leurs mots avec une précaution presque paranoïaque. « Il n'y en a pas un ou une qui ne fait pas attention ! »

C'est l'une des raisons qui l'ont conduite à renoncer à s'exprimer sur les réseaux sociaux. Elle a longuement hésité. « Potus et Flotus (acronymes sur les réseaux sociaux du président et de la « First Lady » américains) le font tout le temps », observe-t-elle. Un champ de communication miné, véritable piège à couacs. À l'Élysée, on cite l'exemple de la réaction virulente de Melania Trump aux terribles photos d'enfants mis en cage et séparés de leurs parents à la frontière mexicaine. Quelques mots postés sur Twitter en dissonance totale avec la ligne très dure de son époux sur les questions migratoires. À l'évocation de ces images brutales, Brigitte Macron se fige. « C'est intenable ce qu'on a vu. Ça nous plonge dans quelque chose… C'est impensable », lâche-t-elle en évoquant cette photo qui a fait le tour du monde : une petite fille en larmes tandis que sa mère est fouillée par la police. « Horrible ! », dit-elle. Prononcé en public, nul doute que ce simple mot de la première dame de France aurait défrayé la chronique.

16

Égérie de la mode tricolore

C'est l'événement de la Fashion Week et il a lieu à l'Élysée. « *The place to be* » pour les quelque cent cinquante créateurs qui ont reçu un épais carton d'invitation blanc et doré de la présidence de la République. Ce lundi 5 mars 2018, à l'issue d'une semaine de défilés, les Macron les reçoivent à dîner. Tout le gotha de la mode est convié, un tourbillon de signatures de la haute couture : la figure Jean Paul Gaultier ; la jeune garde prometteuse avec Simon Porte Jacquemus ; la brillante styliste de Dior Maria Grazia Chiuri ; les célèbres Vivienne Westwood, Elie Saab, Isabel Marant, Agnès B. ; Morgane Sézalory, la créatrice inspirée de la marque Sézane ; deux P-DG de géants du secteur, Bruno Pavlovsky à la tête des activités mode de Chanel, et Sidney Toledano, celui de LVMH Fashion Group. Les noms les plus scintillants de la profession se pressent à l'intérieur de la première maison de France, enchantés et fiers de voir leur filière ainsi honorée.

Ce genre d'hommage n'est pas si fréquent. Le dernier remonte à 1984, quand l'homme d'affaires

Pierre Bergé, compagnon d'Yves Saint Laurent, avait présenté une assemblée de stylistes à François Mitterrand. Trente-quatre ans plus tard, les Macron veulent mettre en lumière la création tricolore. Faire du Palais, le temps d'une soirée, le centre mondial du luxe. Il s'agit de culture, de patrimoine autant que d'économie. À lui seul, le secteur représente presque 2 % de la production de richesse en France. La première dame a œuvré en coulisses pour que cette réception ait lieu et ne soit pas rayée d'un trait de plume de l'agenda présidentiel.

Défilé au Palais

Sous les dorures de la salle des fêtes, l'assemblée patiente joyeusement, admire les lustres en cristal et les peintures aux plafonds. Un frisson d'excitation marque l'arrivée du couple présidentiel. Brigitte et Emmanuel Macron avancent, main dans la main, sur l'épaisse moquette carmin de ce salon d'apparat. Vêtue d'une spectaculaire veste brodée à la main de la collection printemps-été 2018 dessinée par Nicolas Ghesquière pour Louis Vuitton, la première dame offre sa première bise à Anna Wintour, rédactrice en chef du magazine *Vogue USA*, avant de saluer les autres convives. L'humeur est légère, le style de la réception « *casual* ». Il ne s'agit pas d'un dîner assis, même si une table d'honneur est dressée au centre de la pièce.

En guise d'introduction, le chef de l'État se fend de deux discours, l'un en anglais, l'autre en français.

« Paris devrait être votre base. Je rêve de vous voir créer ici, travailler ici et être heureux de pouvoir le faire », entame-t-il dans la langue de Shakespeare. Puis dans celle de Molière : « Il n'y aura pas de protocole. Vous pourrez aller vous servir comme vous le souhaitez. Il y aura des ateliers prévus tout autour de vous. La liberté et le désordre doivent régner en maîtres, pour vous dire combien vous êtes ici chez vous ! »

Des stands très chic ont été installés çà et là. Des serveurs en livrée préparent des petites gourmandises, comme de la guimauve flambée, dans des brûleurs en argent.

À son tour, la première dame prend la parole. Ses premiers mots sont pour Azzedine Alaïa, grand couturier franco-tunisien disparu quatre mois plus tôt : « J'ai une petite pensée, même une grande pensée, ce soir pour Azzedine, qui est avec nous, certainement. Je suis allée à Sidi Bou Saïd, j'ai vu sa maison. J'avais mis mes talons comme il voulait que je le fasse. On pense tous à lui ce soir. » Après cet hommage, Brigitte Macron évoque son rapport à la mode. « Merci aussi parce que, grâce à vous, le métier de la première dame est beaucoup plus doux. Et vous m'aidez énormément dans tout ce que je fais. Parce que, parfois, je n'ai pas forcément envie. Ce soir, j'avais très envie d'être parmi vous. Mais, parfois, ce n'est pas très facile. »

Le luxe, baume nécessaire pour adoucir sa charge. Les créateurs, qui n'en demandaient pas tant, sont conquis. Ils font la queue pour immortaliser l'instant dans un déluge de selfies glamour. Ce soir-là, les stylistes découvrent à quel point Brigitte Macron a conscience de son rôle d'ambassadrice de la mode bleu-blanc-rouge. « Quand je descends d'un avion, la première chose qu'on me demande, c'est le nom du designer que je porte », leur raconte-t-elle. De quoi expliquer l'extrême vigilance qu'elle accorde à son apparence, lorsqu'elle se déplace en France comme à l'étranger.

L'omniprésent Nicolas Ghesquière

À l'Élysée, le dressing de la première dame est installé dans l'ancienne chambre de Danielle Mitterrand, qui fit office un temps de salle de sport de Nicolas Sarkozy. Vestige de cette époque, un vélo elliptique et un tapis de course sont restés figés en ces lieux. Là, dans cette pièce située en face du bureau d'angle où travaille le président, Brigitte Macron se change et sélectionne minutieusement ses toilettes. Férue de haute couture, elle ne passe pas ses journées à lire des revues de mode, mais connaît les tendances, les codes et couleurs en vogue chaque saison, ainsi que les noms des pointures de la profession.

Son styliste fétiche est le discret Nicolas Ghesquière, créateur phare de la maison Louis Vuitton. Elle l'a rencontré à l'issue d'un défilé, lorsque son mari était ministre de l'Économie. « Elle m'avait dit qu'elle achetait déjà du Balenciaga à l'époque où j'y étais [de 1997 à 2012], raconte le directeur artistique de la première marque de luxe française. J'ai déjeuné avec elle, elle m'a dit comme elle se sentait bien dans mes vêtements, ce qui m'a fait énormément plaisir[1]. » Pendant la campagne présidentielle, Brigitte Macron lui reste fidèle. Et elle ne cesse, depuis, d'arborer ses créations, comme au soir du second tour de la présidentielle, au pied de la pyramide du Louvre, avec son long manteau bleu et argent de la collection Palm Springs 2015.

La première dame le sait, la parure témoigne du pouvoir de celui qui la porte, de sa volonté d'éblouir ou, au contraire, de se placer sur un pied d'égalité avec ses interlocuteurs. Elle aime jouer des symboles. Est-ce un hasard, comme l'assurent ses proches, si elle a ressorti cette tenue bleu nuit de la victoire lors de la tournée de son mari dans l'est et le nord de la France, pour la grande opération reconquête de l'opinion lancée à l'occasion des commémorations du centenaire de la Première Guerre mondiale ?

Dans le milieu de la mode, ce tropisme pour Vuitton interroge. « C'est la première première dame à avoir un vestiaire *brandé* sur une seule et unique marque », s'étonne un grand professionnel du secteur, qui tient à rester anonyme. Cela suscite-t-il la jalousie d'autres créateurs ? « Non, le milieu est macroniste !, balaye-t-il. Mais beaucoup ne comprennent pas comment une femme censée représenter l'ensemble des Français ne porte que du très, très haut de gamme. Cela participe à l'image du

1. Interview réalisée par Loïc Prigent dans *Le Journal du dimanche*, publiée le 14 mai 2017.

président des riches. Elle met de temps à autre du Balmain ; et un peu d'Éric Bompard, le week-end. Cela reste des marques de l'ultra-luxe. »

En leur temps, Claude Pompidou, Anne-Aymone Giscard d'Estaing, Danielle Mitterrand, Bernadette Chirac et Carla Sarkozy ont fait preuve, elles, de davantage de diversité dans le choix des marques. Certaines avaient leurs préférées, mais jamais une relation aussi exclusive pour leurs tenues de jour comme pour leurs tenues de gala. Outre-Atlantique, Michelle Obama veillait aussi à arborer des vêtements bon marché et accessibles, ainsi que des pièces de créateurs. « Son goût pour la mode est extrêmement enthousiasmant, c'est une formidable ambassadrice. Mais cela pose des questions sur le plan politique de porter des vestes ou des robes signées Vuitton à plusieurs dizaines de milliers d'euros. Brigitte Macron ne porte quasiment que la première marque de luxe, n'étend pas son vestiaire à d'autres créateurs. Malgré ses combats sociaux, elle devrait faire attention », recommande notre interlocuteur.

Pourquoi se polariser sur une seule marque ? Parce que Nicolas Ghesquière la rassure, elle qui est si soucieuse de son apparence et sensible aux remarques sur son physique. Il s'adapte à chacune de ses demandes, en coupant ou en ajoutant une manche, en rallongeant une robe trop courte, si nécessaire. « J'ai 65 ans, je ne suis pas mannequin, il y a des choses qui me vont, d'autres pas », dit-elle. Elle sait ce qui lui convient, refuse quand elle n'aime pas. Avec « son » styliste, elle se sent en confiance.

L'histoire est facétieuse : Nicolas Ghesquière est le lointain successeur du petit malletier jurassien Louis Vuitton, qui a fondé la maison du même nom en 1854, deux ans après avoir commencé à s'occuper des toilettes de l'impératrice Eugénie. Grâce à l'épouse de Napoléon III, il se fait connaître de l'aristocratie. Plus de cent cinquante ans plus tard, la saga se perpétue.

À mi-chemin du quinquennat, Ghesquière est le seul créateur à faire du sur-mesure pour la première dame. D'autres lui ont proposé des pièces déjà existantes. Il lui est arrivé de porter du Balmain, de la haute joaillerie ou de l'horlogerie Dior. « Beaucoup de jeunes stylistes veulent l'utiliser comme portemanteau, ils lui envoient des choses. On dit non. On veut élargir les signatures de son vestiaire, mais pas avec n'importe quoi », expose son entourage.

« C'est un atout pour Vuitton, qui se veut numéro un mondial du secteur, d'être porté par la première dame », note le président de la Fédération française du prêt-à-porter, Pierre-François Le Louët. Qui soulève un détail instructif : depuis le sacre de Macron au pied de la célèbre pyramide de Ieoh Ming Pei, les défilés de la marque se déroulent au Louvre. Comme un symbole partagé : connu dans le monde entier, le lieu incarne la culture française, l'excellence, l'histoire, les métiers d'art, un ancrage historique. Cette relation au temps est tout aussi importante pour les maisons du luxe, dont l'image se forge au fil des années.

Diplomatie vestimentaire

Un matin de juin 2018, Brigitte Macron a rendez-vous au siège de Louis Vuitton. Le directeur artistique des collections féminines lui a dessiné une robe en vue de sa rencontre prochaine avec le pape. Dans son dressing privé, elle n'a pas de « tenue papale ». Pour ce déplacement, elle doit trancher un dilemme épineux : porter ou non une mantille, coiffe en dentelle brodée que les croyantes revêtent parfois à la messe. Un signe qui serait aussi apprécié que fustigé en France, où l'on entretient des rapports complexes à la religion. Le port de cette étoffe n'est pas obligatoire au Vatican, où le protocole stipule simplement : du noir pour madame, et le haut du corps couvert.

Il en sera ainsi. Elle surgit dans ses bureaux à l'Élysée, à l'issue de cette séance d'essayage. « La robe noire est magnifique ! », savoure-t-elle, enjouée. Et la mantille, alors ? La première dame affiche une moue dubitative. « Je ne suis pas très truc sur la tête. » De fait, elle emportera le tissu brodé, mais le gardera à la main. Bruno Roger-Petit, conseiller de la présidence, passe une tête et s'autorise une plaisanterie sur sa tenue. La réponse de Brigitte Macron cingle : « Les commentaires des hommes sur la longueur des robes… On va vous en faire baver ! »

Adolescente à la fin des années soixante, elle ne rechignait pas à découvrir ses jambes et raffolait des minijupes. Mais, au Saint-Siège, respect des convenances papales oblige, sa robe noire couvrira largement ses genoux.

Lors des voyages officiels – les « VO », comme disent les initiés –, une attention sourcilleuse est portée à ses tenues. Pas seulement par coquetterie, ou pour représenter au mieux l'industrie de la mode française. Elles sont pour elle un moyen d'expression. Avec ses vêtements, Brigitte Macron veut déjouer le mutisme auquel son rôle la contraint. Puisqu'elle ne dit quasiment rien en public, sa coiffure, son maquillage et sa mise sont scrutés à la loupe.

Ainsi a-t-elle découvert l'art de la diplomatie vestimentaire et le pratique avec jubilation, choisissant minutieusement couleurs et formes évocatrices. C'est ce tailleur blanc et rouge qu'elle arbore en descendant de l'avion présidentiel, à l'image du drapeau de la Tunisie, où le couple vient d'atterrir. C'est cette robe du défunt Azzedine Alaïa, qu'elle se fait prêter pour le même déplacement, en un hommage aussi discret que commenté par la presse locale. Ce sont ces nuances carmin sur son manteau, ses gants, son sac à main et sa robe pendant un séjour en Chine, où cette couleur symbolise le bonheur. Ou cet ensemble jaune pastel, en clin d'œil à ceux qu'affectionnait jadis l'ancienne « First Lady » Jackie Kennedy, lors de la visite d'État aux États-Unis.

Ce trousseau si étudié est renouvelé à chacun de ses déplacements. Car l'égérie de la haute couture française veille à ne pas porter deux fois la même toilette pour éviter les critiques. Parfois, elle fait tout de même customiser le haut d'une robe, ou en change le décolleté, afin de pouvoir la remettre. Il ne s'agit pas là de faire des économies, car l'Élysée ne paie pas ce que la première dame porte. Ce sont des mises à disposition, au grand bénéfice des marques concernées, au premier rang desquelles Louis Vuitton. Quelle meilleure vitrine pour leurs créations ? Brigitte Macron ne conserve jamais ces tenues, restituées à l'issue des « VO ». Dans un souci de transparence, son cabinet a d'ailleurs fait rédiger un accord-cadre sur les prêts de ces vêtements afin d'instaurer une véritable séparation entre sa garde-robe privée et son dressing officiel. Œuvres éphémères, ses tenues sont parfois décousues, parfois conservées en l'état. Verra-t-on un jour un musée exposant ses tenues ouvrir ses portes ? Ses proches en doutent.

CINQUIÈME PARTIE

Le rêve d’une vie

17

La passion

Une pépiniériste : telle est la délicate référence convoquée par l'ancien ministre Jean-Paul Delevoye pour décrire cette femme. «Je connais une citation de Saint-Exupéry qui lui correspond bien : "Quand il naît dans les jardins une rose nouvelle, voilà tous les jardiniers qui s'émeuvent. On isole la rose, on la favorise. Mais il n'est point de jardinier pour les hommes." Brigitte, c'est cela, un jardinier d'hommes.»

À ses yeux, c'est elle qui a fait éclore le talent de son époux. Quel est donc le ressort de leur relation si intrigante, le secret de cette complicité qui surprend quiconque les observe? Après quoi court-elle? Quel est son moteur? Sa grande ambition, la première d'entre ellcs?

L'amour sans nul doute, le fil conducteur de sa vie. «Emmanuel et moi, c'est indissociable», insiste Brigitte Macron. Le pouvoir est l'une des épreuves les plus complexes qu'ils aient eue à traverser, même si ce n'est pas la première.

« Il est homo, non ? » « C'est un faux couple, c'est évident. » « Ce n'est pas sa femme, c'est sa mère, sa grand-mère ! » Malveillances, sarcasmes et allusions grivoises sont légion dès lors qu'il est question des Macron. Particulièrement chez les hommes politiques de plus de 50 ans, qui mettent souvent en doute la réalité de leur relation. Cette belle histoire, ils n'y croient pas et ils le disent, retranchés derrière l'anonymat. À leurs yeux, le chef de l'État est forcément un être hybride et asexué. « Un peu homme, un peu femme, c'est la mode du moment, androgyne », a un jour dit Nicolas Sarkozy. « Un moine moderne qui, au XIXe siècle, serait devenu pape plutôt que président », pique un autre. Les rumeurs qui les poursuivent depuis Bercy se sont gravées dans les esprits, malgré leurs multiples démentis.

Brigitte Macron le sait. Elle souffre en silence de cette suspicion qu'elle décèle dans les regards. Chaque jour charrie son lot d'attaques anonymes sur les réseaux sociaux. Il suffit qu'elle marraine une campagne contre le harcèlement scolaire, et c'est une profusion de messages perfides sur leur rencontre, il y a un quart de siècle. « Quand un homme sort avec une femme beaucoup plus jeune, tout le monde sourit, on trouve ça amusant. Quand une femme sort avec un homme beaucoup plus jeune, on trouve ça suspect », s'indigne-t-elle. Un ami traduit : « Elle en a marre qu'on la traite de vieille peau pédophile ! »

Eau sauvage

Tous ceux qui les ont croisés, même les plus sceptiques, même les plus critiques, décrivent un couple démonstratif, éminemment tactile, en « fusion intellectuelle ». Ils l'ont perçu furtivement, le temps d'une cérémonie officielle ou en ont acquis la certitude, à force de passer du temps avec eux. Ils dépeignent un homme en quête constante de l'approbation de sa femme, de son contact. Emmanuel Macron cherche sa main, effleure son bras, soucieux de l'avoir à ses côtés, de ne jamais la laisser en retrait.

Quel saisissant contraste avec les scènes glaciales rapportées par d'anciens conseillers de l'Élysée au sujet de François Hollande et Valérie Trierweiler, ou les images de l'Américain Donald Trump, régulièrement repoussé par sa femme lorsqu'il tente de saisir ses doigts. Sensibles à la démonstration amoureuse, les Macron ne se cachent pas. Plus qu'un couple, ils constituent une équipe. Quand elle commence une phrase, il la termine souvent. « Ils sont très intuitifs, instinctifs. Chez eux, tout passe par les mots, les mots qu'on ne dit pas, les mots susurrés. Elle comprend tout, lui aussi, ça ricoche. Ils ont un système d'adossement mutuel qui est très touchant », analyse Philippe de Villiers, qui les a beaucoup côtoyés et observés.

Que de témoignages sur ces instants complices. Ainsi, en juillet 2017, l'état-major du groupe des députés Marcheurs est convié à déjeuner avec le président. Sur le perron, côté jardins, des tables en teck sont dressées, abritées du soleil par de grands parasols écrus. Les convives patientent en sirotant l'apéritif. Brigitte Macron débarque en jean. Elle s'excuse de son accoutrement, explique qu'elle s'occupe des ruches du Palais, claque une bise à son ami Richard Ferrand, bavarde avec les élus, et précise qu'elle ne fait que passer. La voix forte d'un huissier résonne et les interrompt : « Monsieur le président de la République ! » Emmanuel Macron apparaît et se dirige vers la petite troupe. Soudain, il aperçoit sa femme, surpris de la trouver là. Lui : « Bonjour m'dame ! » Elle : « Bonjour m'sieur ! » Un témoin – masculin – avoue avoir été saisi : « Ça m'a fait un choc. Ses yeux à lui se sont illuminés d'un coup, dans une sorte de joie, avec un regard si amoureux... La profondeur du lien, la tendresse, c'est le secret de ce couple. »

Une autre fois, des artistes et des réalisateurs conviés à une projection dans la salle de cinéma défraîchie des sous-sols de l'Élysée ont été frappés de les voir, durant toute la séance, les doigts entrelacés. Un homme d'affaires raconte aussi avoir été estomaqué par ce baiser : « Ils se sont embrassés sur la bouche comme du bon pain, j'ai cru qu'ils allaient se rouler une pelle ! » Les gestes qu'ils échangent disent leur attachement. Est-ce qu'ils en jouent ? « Il en a un besoin physique, au sens du *body language*. Il la fait chier tout le temps pour qu'elle vienne en déplacement, alors qu'elle n'aime pas l'avion », témoigne un conseiller de l'Élysée. « Il lui touche tout le temps les doigts. Il a besoin de voir si elle est là. J'ai vu peu de couples comme ça », souffle Gérard Collomb, lui-même très épris de sa femme, Caroline, de trente ans sa cadette. « Il est hyper-attentionné. Exactement l'attitude dont tu rêves venant de ton mec. Ce n'est pas elle qui le materne, c'est l'inverse : c'est lui qui la protège », se pâme une élue de gauche après un dîner.

Pour ce couple surexposé, chaque instant volé au quinquennat est éminemment précieux. Ils se ménagent du temps ensemble, prennent chaque matin leur petit déjeuner en tête à tête et se retrouvent à dîner, en deuxième partie de soirée. Quand ils ne passent pas le week-end ensemble à la Lanterne, ils s'appellent plusieurs fois par jour, entre deux réunions. Souvent, elle monte dans son bureau. Parfois, c'est lui qui descend dans l'aile Madame. Et quand le président s'envole seul pour un voyage au bout du monde, la « First Lady » a son rituel : tout le temps que dure leur séparation, elle fait des infidélités à sa fragrance fétiche, *Diorella*, pour s'imprégner d'*Eau sauvage*, le parfum aromatique et boisé du président, dont il use un incalculable nombre de flacons en s'aspergeant généreusement.

Chasse aux papillons

Lorsque la première dame sort déjeuner avec des amis, son téléphone portable sonne invariablement au milieu du repas. « Où es-tu, chérie ? Tu fais quoi ? Tu es avec qui ? Passe-le moi. » Le président fait attention à qui elle fréquente, à qui la regarde, à qui lui parle. « Quand on est ensemble, il appelle toujours. Il est jaloux », s'esclaffe un intime du couple.

Elle aussi reste sur ses gardes, se méfie. Chasse-t-elle les « papillons », comme disait pudiquement Bernadette Chirac, à propos des courtisanes qui virevoltaient autour de son époux ? Les couloirs de l'État bruissent du nom d'une jolie brune qui a longtemps travaillé pour Emmanuel Macron à Bercy, mais n'a pas rejoint l'Élysée après son élection. Mise sur la touche, selon les versions, pour cause de minauderie, ou en raison de compétences jugées insuffisantes.

Un « textoteur du soir » du chef de l'État confie : « Regardez, il n'y a pas de femmes autour de lui. À plusieurs reprises, des conseillères ont été écartées. Il m'a dit : "Elles sont trop jolies, Brigitte ne voudra pas." » Les deux seules femmes haut placées de son cabinet sont la discrète secrétaire générale adjointe, Anne de Bayser, et la conseillère chargée de la presse et de la communication, Sibeth Ndiaye.

S'il aime séduire, Emmanuel Macron n'est jamais pris en flagrant délit de regard déplacé comme nombre de ses congénères. Son sujet n'est pas de plaire, mais de convaincre, quel que soit le sexe de son interlocuteur. Tenaillé par une volonté obsédante de persuader, il accroche les regards, attrape les mains, comme pour mieux s'immiscer dans chaque repli des cerveaux qu'il cherche à entraîner.

« Les filles, ce n'est pas son problème. Ce n'est pas un sujet de conversation », assure un vieux compagnon de route fâché contre lui, et par là peu suspect de complaisance. Un autre, qui s'est retrouvé à ses côtés dans des situations où pouvaient s'offrir de plaisantes perspectives avec de sublimes créatures, a été surpris de le trouver stoïque : « La drague, il s'en fout. » « Il vit avec sa femme, tous les jours, il a besoin de ça, besoin d'elle. S'il était asexué, il vivrait tout seul ! », achève l'un de ses soutiens.

Son champ lexical, lui, est fortement connoté. En très petit comité, le locataire de l'Élysée déploie un vocabulaire très sexué, pour ne pas dire scabreux. Maints conseillers ont sursauté en l'entendant tonitruer, au sortir d'une victoire sur des adversaires politiques : « Je les ai bien baisés ! Je leur ai mis profond ! » Oreilles chastes s'abstenir.

Sacrifices

Leur romance repose sur un don réciproque, un sacrifice mutuel. Emmanuel Macron s'en est ouvert un jour à l'un de ses fidèles, dans une confession touchante : « J'ai déjà fait un vrai sacrifice, qui est un sacrifice d'ego, celui de ne pas avoir d'enfant. Tout homme a envie biologiquement de se reproduire. Mais je l'ai fait par amour pour Brigitte. »

Encore adolescent, il décide de lier sa vie à une femme de 40 ans déjà trois fois mère, acceptant ainsi l'idée, insupportable pour beaucoup d'hommes, de ne pas perpétuer sa lignée. Un don total, rare : il l'a fait pour elle.

Impossible de saisir la patience de l'épouse, son endurance à ses côtés, sans intégrer cette dimension.

Elle est toute sa famille, son lien affectif, son univers sentimental, sa stabilité émotionnelle. En l'épousant, il a adopté les siens, qu'il appelle « mes beaux-enfants ». Il dit « mes petits-enfants » quand il évoque les sept bambins de Sébastien, Laurence et Tiphaine Auzière, bien qu'ils ne soient pas liés par le sang. Sa belle-famille le considère du reste comme un parent.

Très centrée sur sa famille, c'est Brigitte Macron qui fait le lien entre le président et ses propres parents, Françoise Noguès et Jean-Michel Macron, avec qui il entretient une relation toujours complexe, distante, encore froissé qu'ils n'aient pas compris plus tôt son choix de vie. S'il en parle peu, la blessure reste vive. Interrogé à l'automne 2018 par la chaîne américaine CNN sur sa plongée dans les sondages, le chef de l'État dresse cet audacieux parallèle avec sa vie personnelle : « J'ai passé de nombreuses années sans le respect de beaucoup de gens, avec même des gens que j'aimais qui ne comprenaient pas totalement ce que je faisais. Mais à la fin, parce que j'étais sincère, parce que j'étais en accord avec moi-même, et que je ne me suis jamais arrêté, ils l'ont reconnu et accepté. Donc je suis personnellement et fermement persuadé que les Français vont progressivement reconnaître que nous faisons ce qui est le mieux pour le pays. »

Pour cultiver le contact, souvent, c'est son épouse qui appelle ou déjeune avec sa mère afin de lui donner des nouvelles, car le fils n'est guère prompt à décrocher son téléphone. C'est encore sa femme qui fait venir ses parents lors de repas et cérémonies à l'Élysée. Agent pacificateur, elle retisse les fils distendus.

Brigitte Macron éprouve un besoin vital d'être entourée de cette grande tribu et ne supporte pas les tensions. Elle ne peut se passer de ses sept petits-enfants, qu'elle appelle tendrement « mes petits ». Souvent, c'est pour eux, pour les garder, qu'elle renonce à accompagner son mari dans ses périples lointains. « Je suis à fond. Mes petits sont à tomber. J'ai beaucoup de chance. C'est constitutif depuis que j'ai eu mon premier enfant. C'est un vrai bonheur, ils sont hyper-intelligents, branchés. Par contre, je meurs de peur pour eux, ils rentrent dans un monde[1]... », frémit-elle devant nous.

C'est pour lui qu'elle a pris tous les risques, renonçant à la voie tracée sur le chemin d'une vie paisible : à 21 ans, les noces avec André-Louis Auzière, de deux ans son aîné, au Touquet. C'était en 1974, la même année que le mariage des parents d'Emmanuel Macron. Elle rêve d'avoir des enfants et, un an plus tard, Sébastien voit le jour, puis Laurence deux ans après – la même année que le président – et Tiphaine, enfin, l'année suivante. Son premier mari est cadre de banque au Crédit du Nord à Lille, puis directeur de la Banque française du commerce extérieur à Strasbourg. À ses côtés, elle mène une vie confortable à Truchtersheim d'abord, dans le Bas-Rhin, à Amiens ensuite.

1. Rencontre avec les auteures au palais de l'Élysée, 20 juin 2018.

Lorsque s'évente dans les couloirs du lycée La Providence sa folle histoire avec son élève, son ancien mari claque la porte. L'enseignante a l'audace de braver un interdit social et de briser les conventions de son milieu. Elle devient une paria. Elle n'est pas rebelle, pourtant. Extrêmement libre, elle ne tolère pas que quiconque lui dicte sa conduite. Dernière d'une fratrie de six enfants, elle s'est toujours moquée des codes et des conservatismes.

« Leur histoire d'amour traduit, de sa part à elle, une capacité à bousculer la bourgeoisie de province. Elle n'est pas née d'un couple de soixante-huitards qui fumaient des pétards, mais d'un milieu profondément hostile et, au mieux, interrogatif. Ils me font penser tous les deux à cette chanson de Georges Brassens : "Au village, sans prétention, j'ai mauvaise réputation" », résume un proche du couple. « Son geste à elle est encore plus audacieux que le sien. Il avait tout à gagner; elle, tout à perdre », analyse un ministre. Son collègue Christophe Castaner dédramatise, d'un grand éclat de rire : « Quand j'étais gamin, je rêvais de choper ma prof de français, comme tous les mecs. Elle est forcément extraordinaire ! » « Quand vous êtes un tout jeune homme et que vous arrivez à séduire votre prof, qui est une femme mariée, ça vous donne confiance en vous », abonde la ministre Marlène Schiappa. Ce couple fascine jusqu'aux membres du gouvernement...

Brigitte Macron n'apprécie pas qu'on les ramène à leur passé d'enseignante et d'élève. Elle déteste qu'on la compare à Gabrielle Russier. Cette professeure de lettres a mis fin à ses jours en 1969 en ouvrant le gaz de son appartement, après avoir été condamnée pour détournement de mineur comme la pire des criminelles, agonie par une partie des médias et de la France post-soixante-huitarde. Sa faute ? Avoir entretenu une liaison avec le jeune Christian Rossi, son élève de 17 ans. Quelques jours après sa tragique disparition, le président Georges Pompidou avait laissé percer son émotion et sa colère rentrée lors d'une conférence de presse, citant un poème de Paul Éluard, les lèvres soudain crispées : « Comprenne qui voudra. Moi, mon remords, ce fut la victime raisonnable au regard d'enfant perdue. Celle qui ressemble aux morts qui sont morts pour être aimés. » Cette passion interdite et malheureuse donnera naissance au film d'André Cayatte *Mourir d'aimer*. « Vous vous rendez compte ? Il y a cinquante ans, une femme qui tombe amoureuse de son élève se suicide. Cinquante ans plus tard, une femme épouse son élève qui devient président de la République ! », s'enflamme un ami des Macron.

La première dame goûte peu l'allusion. Elle se voit davantage comme l'anti-Emma Bovary. L'histoire d'une bourgeoise de province qui s'ennuie dans son couple, rêve d'une vie mondaine et noue de piètres relations adultères pour s'évader loin de la campagne normande. Ce roman de Flaubert est l'un de ses livres de chevet.

Pygmalionne

Emportée par l'incroyable assurance de ce jeune homme, elle l'a toujours suivi, dès les prémices de leur histoire. C'est ce que confie la future première dame à *Paris Match* en avril 2016 : « Il a pris un grand ascendant sur moi... J'ai senti que je glissais, lui aussi... Je lui ai alors demandé d'aller à Paris, au lycée Henri-IV, pour sa terminale S. Il m'a assuré qu'il reviendrait. Ça a été un déchirement. On n'a pas rompu le fil. Au contraire, c'est devenu passionnel et, à 17 ans, Emmanuel m'a déclaré : "Quoi que vous fassiez, je vous épouserai !" L'amour a tout emporté sur son passage et m'a conduite au divorce. Impossible de lui résister. »

Avec moins d'eau de rose, leur ami Jean-Marc Borello reconnaît qu'il est une véritable « locomotive ». « Mais elle est capable de lui résister et de lui tenir tête », ajoute ce grand patron du secteur social, qui a connu Macron étudiant à Sciences Po. « Son moteur, c'est l'amour d'Emmanuel. Elle lui a voué sa vie », confie en écho Gérard Collomb. « C'est non seulement un couple, mais une équipe. Elle s'est mise résolument à son service », achève Stéphane Bern.

Cette fausse candide est pourtant tout sauf passive. Il est même permis de penser qu'elle a été son aiguillon, celle qui l'a poussé à se remettre toujours en question et à viser l'excellence, dopé par son amour, galvanisé par son admiration. Sa pygmalionne, en somme.

Professionnelle de l'enseignement, elle a tôt fait de détecter cet élève à haut potentiel. Il faut l'entendre vanter ce « prodige » aux dispositions « exceptionnelles », son « intelligence rare », ses dons d'hypermnésie. Il retient tout, n'oublie rien, s'extasie son épouse, en assurant – sans rire – que c'est l'ancienne enseignante qui parle. « Il met quelque chose dans sa tête, c'est rangé. Fabrice Luchini est comme ça, aussi. Pas moi[1] », dit-elle. Elle a contribué à rassurer, canaliser et encourager cet adolescent fougueux et idéaliste. Elle l'a rasséréné lorsqu'il a manqué, par deux fois, le concours d'entrée de l'École normale supérieure, l'échec le plus cuisant de sa vie : il se rêvait écrivain.

Brigitte Auzière-Macron, longtemps surnommée « BAM », a toujours pensé que son jeune amant avait un destin, et qu'elle se devait de l'accompagner. Elle a perçu son goût pour la chose publique, son ambition de faire, bien avant qu'il ne prenne sa carte au Parti socialiste et ne rejoigne la campagne de François Hollande. « Elle n'a jamais douté de ce qu'il pouvait apporter au pays », assure Grégoire Chertok, associé-gérant de Rothschild, un des plus grands banquiers d'affaires français. « Quand vous êtes inspecteur des finances, séduisant, intelligent, que vous aimez votre pays, que vous voulez faire de la politique, vous entrez dans la catégorie des gens qui peuvent faire les Jeux olympiques. Très vite, il a su qu'il faisait partie des gens qui pouvaient courir cette compétition », abonde l'ancien ministre Renaud Dutreil.

1. Rencontre avec les auteures au palais de l'Élysée, 20 juin 2018.

Aucun de leurs proches ne les a jamais entendus évoquer la présidence de la République avant l'été 2015, mais tous se souviennent de joyeux dîners où il était question de politique et du service de la France.

Enseignante dans de prestigieux établissements comme Saint-Louis-de-Gonzague, plus communément appelé « Franklin », établissement jésuite de prestige de l'Ouest parisien qui forme l'élite des futurs grands patrons et dirigeants, elle a eu dans sa classe les enfants de grandes familles : le fils d'Henri de Castries, ancien P-DG du groupe Axa et proche de François Fillon, ou les fils de Bernard Arnault, propriétaire du groupe de luxe LVMH. « Elle a accompagné son mari dans sa promotion, l'a aidé à se constituer un réseau », analyse l'ancien président François Hollande, convaincu qu'elle a fortement contribué à garnir son carnet d'adresses hors norme. Elle cesse même de travailler en juin 2015 pour l'épauler depuis Bercy dans ses ambitions. Elle a alors 62 ans, l'âge légal pour partir en retraite. Elle aurait pu continuer à enseigner, mais cela signifiait ne plus le voir, lui qui était absorbé par sa nouvelle vie de ministre de l'Économie. Et comment expliquer à ses élèves qu'il ne fallait surtout pas répondre aux médias ni porter crédit aux terribles rumeurs qui couraient le Tout-Paris, alors que son visage s'affichait en grand format à la une des journaux sur les colonnes Morris ?

Il y a chez les Macron quelque chose de l'ordre de la revanche sociale. Anciens proscrits, mis au ban de la bonne société, ils se sont construits ensemble, sans tenir compte des jugements, des moqueries. Galvanisés, ils ont traversé le feu ensemble. En un sens, leur union les a préparés à la conquête, puis aux épreuves du pouvoir. Imperméables – à l'excès ? – aux éléments qui se déchaînent jour après jour, au sommet de l'État. « Moi, j'ai toujours été prête à tout. Ça fait vingt ans que je suis prête à tout avec lui », lance-t-elle un jour de meeting. « J'y suis prêt, à tes côtés, Brigitte », lui répond-il à l'aube de son élection, dans une déclaration insolite où se mêlent amour et politique. Main dans la main, jusqu'au sommet.

18

La fortune

Cette insatiable curieuse s'épanouit-elle lorsqu'elle foule le marbre des plus fabuleux palais de la planète, arrimée au bras de son époux ? Se sent-elle flattée de détenir entre ses mains une parcelle du pouvoir, elle qui chuchote à l'oreille du chef de l'État ? Se lève-t-elle le matin encore étourdie d'être là, le regard plongé vers les jardins fleuris de l'Élysée ? Est-elle seulement heureuse de cette improbable vie de château ? Pour la France, certainement, persuadée que son époux est le seul à pouvoir redresser le pays. Mais pour elle-même ?

« Je ne suis pas sûre que ce soit la meilleure partie de sa vie », confesse l'une de ses bonnes amies. Brigitte Macron, elle, fait mine d'en rire : « On a cherché les emmerdes ! » Il est vrai qu'elle a participé à plein à l'entreprise politique de son mari. Imaginait-elle les avanies, les mauvais sondages, les questions inquisitrices sur son train de vie ? Une chose est sûre, elle reste nostalgique de la période bénie où tous deux menaient grand train, où elle l'avait pour elle toute seule, loin des jaloux et des soucis.

Dolce vita

C'est l'époque bienheureuse où, après avoir connu la houle, le couple navigue enfin sur une mer d'huile. Quand point le jour, Emmanuel Macron enfile sa tenue de sport pour s'exercer à la course à pied près de la Cité universitaire, au sud de Paris, avec son meilleur ami et témoin de mariage, Marc Ferracci, rencontré sur les bancs de Sciences Po. Puis il revêt son costume à fines rayures de *golden boy*, plaque ses cheveux en arrière pour dompter sa tignasse ondulée, et rejoint l'avenue de Messine au cœur de la capitale, siège de la banque d'affaires Rothschild & Cie. À tout juste 30 ans, le jeune homme s'est offert un appartement cossu cité Falguière pour abriter leurs amours, pour la somme exorbitante de 890 000 euros. Et ce, grâce à l'un de ses pères spirituels, le multimillionnaire Henry Hermand, qui lui a concédé un prêt de 550 000 euros alors qu'il n'était encore qu'un jeune inspecteur des finances sans le sou. Le soir venu, sur leur terrasse, les Macron refont le monde avec leurs invités. Ils reçoivent, rencontrent une foule de gens, aussi captivants qu'utiles, fréquentent de grands patrons et lient connaissance avec des personnalités politiques, couvés par les bonnes fées de l'apprenti banquier : Michel Rocard, Alain Minc, David de Rothschild ou Jacques Attali. Ces parrains ont repéré ce jeune homme prometteur dès l'ENA. À l'écart des radars médiatiques, les Macron mènent enfin une vie sociale épanouissante. Ils se familiarisent avec le bonheur.

Après plus de dix longues années, le divorce avec André-Louis Auzière a enfin été prononcé. Ils peuvent unir officiellement leurs destins. Le 20 octobre 2007, à la mairie du Touquet, ils se disent « oui » devant une assemblée hétéroclite mêlant famille, amis, et sommités du monde politico-financier. Durant les célébrations à l'hôtel Westminster, le jeune marié s'empare du micro et se remémore les moments d'orage, lorsqu'ils étaient encore bannis : « Chacune et chacun d'entre vous a été le témoin, au cours de ces treize dernières années, de ce que nous avons vécu. Et vous l'avez accepté, et vous nous avez fait ce que nous sommes aujourd'hui, c'est-à-dire peut-être quelque chose de pas tout à fait commun, un couple pas tout à fait normal, même si je n'aime pas beaucoup cet adjectif… » Avec sa voix suave, ses cheveux trop longs et un peu fous, son visage poupin, il est méconnaissable. Assise autour de la grande tablée, Sylvie Rocard se souvient d'un palace où « le champagne coule à flots[1] ». C'est la belle vie, la grande vie, sans tracas ni problèmes. Un conte de fées.

Les Macron vivent plus que confortablement et dépensent sans compter, sans se préoccuper du lendemain ni de leurs multiples placements, emprunts et comptes bancaires. En 2010, toujours premier en tout, le petit prodige devient le plus jeune associé-gérant de la banque Rothschild, battant le record jusqu'alors inégalé de Grégoire Chertok, surnommé « l'homme aux 150 deals ». L'année suivante, le

1. Sylvie Rocard avec Sylvie Santini, *C'était Michel*, Plon, 2018.

«Mozart de la finance» empoche son premier million. En quelques mois, ils dilapident les 2,8 millions d'euros gagnés en un peu plus de trois ans (soit 1,5 million d'euros après déduction des charges et impôts). Une propension à se montrer dispendieux qui suscite aujourd'hui moult interrogations. Qu'ont-ils donc fait d'une telle somme? Quelles grandes folies se sont-ils offertes? Un week-end, les Rocard ont la surprise de voir les Macron débarquer dans leur maison de campagne au volant d'une Peugeot décapotable flambant neuve, la mèche au vent[1]. Dans l'air, flotte un parfum de *dolce vita.*

Dans le monde ultra-concurrentiel de la finance, le banquier Macron ne se passionne guère pour les super-deals et autres fusions industrielles. Non, il vibre pour les grandes fluctuations de l'économie, les réformes qui font bouger la France, encore marqué par son expérience de rapporteur au sein de la commission Attali sur la compétitivité. Il n'a jamais caché à ses associés de Rothschild que cette aventure hautement lucrative n'était qu'une parenthèse pour se mettre à l'abri du besoin et assurer pour l'avenir son indépendance matérielle et financière. Ils ne sont donc pas étonnés quand, un an avant la présidentielle de 2012, il les informe qu'il se met au service de François Hollande. Le socialiste lui a promis en cas de victoire un poste en or, numéro trois de l'Élysée.

---

1. Sylvie Rocard avec Sylvie Santini, *C'était Michel, op. cit.*

Brigitte Macron observe tout cela d'un œil inquiet. Quelle sera leur vie ? Quelles incidences sur leur couple ? Elle redoute que son mari lui échappe, cannibalisé par l'exercice de l'État, imagine les horaires extensifs, jour et nuit. « Quand il a quitté la banque, Brigitte n'était pas emballée. Elle a beaucoup aimé la période Rothschild. Elle trouvait que c'était agréable, que c'était un univers intéressant. Elle avait peur de la charge de travail qu'il pouvait avoir à l'Élysée, de la façon dont le système allait l'accaparer. Elle était prudente, pas franchement enthousiaste. Mais c'est lui qui décide », assène un témoin de l'époque.

Emmanuel Macron, lui, tourne cette page sans ciller.

Quel rapport entretiennent-ils avec la fortune qui sonne et qui trébuche ? Aiment-ils l'argent, celui qui file entre les doigts, comme celui qui dort paisiblement à la banque ?

Michel Sapin, qui ne porte pas Emmanuel Macron dans son cœur, en parle sans détour. Au cours de l'année 2011, l'ambitieux lui rend visite dans ses bureaux de l'Assemblée nationale, qui jouxtent ceux du député de Corrèze François Hollande. Il veut se mettre au service du candidat socialiste, dont la cote frémit tout juste dans les sondages. Sapin le met en garde sur son profil pour le moins atypique pour rallier un candidat de gauche : « Vous venez de chez Rothschild, vous savez ce que ça veut dire ? » Riposte de Macron, sûr de son fait : « J'ai gagné suffisamment d'argent, maintenant j'ai décidé de faire autre chose. »

Tous les amis du couple assurent que l'argent n'a jamais été leur moteur, qu'ils ne sont pas de méthodiques thésauriseurs, des harpagons amoncelant les rentes, mais, au contraire, de piètres gestionnaires. Issu d'une famille de médecins – son père était neurologue et sa mère attachée auprès de l'Assurance-maladie –, Macron n'a jamais connu de problèmes de fins de mois et n'aurait pas le fantasme de l'accumulation de biens. Lui qui souhaitait aux jeunes des destins de milliardaires promet qu'il n'a pas de goûts de luxe. De son passage chez Rothschild, il ne reste presque rien : le président, qui a revendu – mal – son appartement et souscrit de lourds emprunts pour financer des travaux, ne possède plus ni bien immobilier, ni véhicule, ni objet de valeur, comme s'il avait voulu organiser son dépouillement personnel avant de se présenter devant les électeurs.

« Brigitte s'en fout. Elle n'accorde aucun intérêt aux choses matérielles. Ça ne tient pas de place dans sa vie. Elle n'a pas de tableau de maître, pas de voiture. Quand son mari était ministre, elle prenait le RER pour aller voir sa fille, elle adorait », prétend même un proche, brossant à gros traits la légende d'un couple qui vivrait quasiment d'amour et d'eau fraîche.

L'entrée dans l'arène politique signe, de fait, une chute brutale de leur train de vie, même s'il reste nettement supérieur au revenu moyen des Français. La rémunération d'Emmanuel Macron est divisée par quinze lorsqu'il devient secrétaire général adjoint de l'Élysée. Elle s'effrite à 9940 euros bruts mensuels quand il est nommé ministre de l'Économie. Devenu chef de l'État, son salaire pointe désormais à 15140 euros bruts, comme le Premier ministre, loin des bonus mirobolants et stock-options de la finance.

« C'est une preuve d'amour invraisemblable de sa part à elle. Après toutes les épreuves, ils avaient trouvé un point d'équilibre. Il était banquier, il gagnait bien sa vie, le temps était venu de voguer plus tranquillement. Après la houle, la mer se calmait. Et là, le couple se met de nouveau dans l'épreuve. Macron lui dit : "Je vais m'impliquer dans une campagne, devenir secrétaire général adjoint", avec ce que cela signifie en termes de temps, de visibilité, de "je remets le projecteur sur nous". Et elle accepte. C'est une preuve de grande solidité », vante un conseiller du président, parachevant, dithyrambique, cette histoire un rien idyllique.

La bohème

Ils ont connu, c'est vrai, des années de vaches maigres. Longtemps, ils ont vécu séparés. À compter les heures passées dans les trains avant de se retrouver, sur le quai d'une gare, le temps d'un week-end ou juste pour goûter le bonheur de courtes retrouvailles. « Brigitte, ce n'est pas une bourge. La première partie de sa vie, ça a été la bourgeoisie de province. Mais après, ça a été une bataille. Elle était prof et mère de famille, dans des conditions difficiles. Ça a été très compliqué pour elle avec son ex-mari, et pour lui avec ses parents. Ils ont ramé. Une vraie bourgeoise de province, ça flirte avec un petit jeune, mais ça reste avec le mari pour le confort ! », relève un vieil ami de la première dame.

Lorsqu'il s'installe à Paris au milieu des années quatre-vingt-dix pour poursuivre sa scolarité au très élitiste lycée Henri-IV au cœur du Quartier latin, sur les mêmes bancs qu'Alfred de Musset et Jean-Paul Sartre, le khâgneux Macron découvre les joies des chambres de bonne sans ascenseur, avec sanitaires sur le palier et escaliers himalayesques. Ses notes sont moyennes. Au téléphone, Brigitte le rassure à distance. Il se rend chaque week-end à Amiens pour la voir, elle le rejoint dès qu'elle le peut. Les parents Macron investissent vite dans un petit appartement un peu sombre, chichement meublé, près de la maison d'arrêt de la Santé, où leur fils loge pour le reste de ses études. Sylvie Rocard se souvient d'un dîner de couples dans ce logement estudiantin où le canapé touche la table de la salle à manger[1]. Quelle fut alors la gêne de la future « First Lady », désappointée de recevoir un ancien Premier ministre dans de telles conditions…

Jamais Emmanuel Macron n'a caché sa compagne. Un ancien camarade de Sciences Po garde une image très vive de sa première rencontre avec elle. « C'était pour boire un coup ou dîner. Je me souviens d'une femme très nature, expansive, marrante, qui se fondait de manière assez exceptionnelle dans les

1. Sylvie Rocard avec Sylvie Santini, *C'était Michel, op. cit.*

conversations de gens qui avaient vingt-cinq ans de moins qu'elle. Je n'ai jamais entendu de critiques dans leur dos. La violence sur leur différence d'âge, ça a commencé quand il est devenu ministre. »

Lors de son passage à l'ENA, à Strasbourg, Macron la présente à ses comparses comme si de rien n'était. Un soir, rendez-vous est donné aux élèves de la promotion Sédar Senghor dans un *winstub*, l'un de ces restaurants rustiques et peu chers d'Alsace où l'on déguste des flammeküeches en éclusant des pintes de bière. Le futur président est là. Un participant se souvient : « On était une dizaine. Je ne savais pas qu'il avait une nana. À un moment, il lance : "Je vais chercher Brigitte." Je me dis : "C'est singulier comme prénom." Un convive me glisse : "Tu verras, elle est un peu plus âgée que lui." Ils se comportaient devant nous comme un jeune couple, avec beaucoup de marques d'affection et de complicité. Tout de suite, j'ai vu sa personnalité drôle, généreuse, tournée vers les autres. Ce n'était pas un sujet de sarcasmes. Il y avait un tel amour réciproque… »

Dans la joyeuse bande des futurs dirigeants de la Nation, l'énarque Macron est un loup solitaire. Sa vie personnelle le retient ailleurs. Chaque fin de semaine, il traverse le pays pour regagner le Touquet, en enchaînant les correspondances. « Il faisait Strasbourg-Paris-Paris-Le Touquet tous les week-ends en train et, à l'époque, il n'y avait pas le TGV Est. Ce n'était pas négociable pour lui, il lui fallait retrouver Brigitte et les siens », se remémore le même.

D'autres, amusés, racontent une savoureuse anecdote. Un jour que la mère d'un camarade de dortoir strasbourgeois de Macron vient épousseter la chambre de son fils, comme le font les mamans dévouées de ces brillants élèves, elle découvre en ouvrant la porte une femme de son âge. « Vous êtes venue faire le ménage, vous aussi ? », entame-t-elle en guise de bonjour. Réponse du tac au tac de la future Mme Macron : « Sauf que moi, je suis la petite amie ! »

Valeur travail

Si elle n'est pas une femme d'affaires, Brigitte Macron tient à son indépendance financière. Elle dispose d'un patrimoine personnel conséquent, legs de la longue lignée familiale des Trogneux, à la tête depuis 1872 des florissantes chocolateries du même nom, qui possèdent une dizaine d'enseignes dans le nord de la France entre Amiens, Lille, Arras et Saint-Quentin. De ses parents, elle a hérité de la villa Monejan du Touquet, dont la valeur est estimée à 1,4 million d'euros. Elle a été très confortablement rénovée aux frais d'Emmanuel Macron qui a souscrit, à l'époque fastueuse de Rothschild, un emprunt de 350 000 euros pour y faire des travaux. La première dame perçoit également les loyers de deux locaux commerciaux installés au rez-de-chaussée de cette demeure[1] : une agence immobilière et une

1. Chiffres révélés par le mensuel *Capital* en janvier 2018, confirmés par l'entourage de la première dame à l'Élysée.

boutique de vêtements, qui lui rapportent autour de 4000 euros par mois. Cette somme vient s'ajouter à sa retraite de professeure de 2150 euros, sachant qu'elle ne perçoit pas de salaire en tant qu'épouse du chef de l'État. Au total, ses revenus avoisinent donc les 6000 euros par mois, du moins pour la partie officielle. Car si son capital est plus transparent que celui du président, il n'est pas pour autant étalé en place publique.

Politiquement ancrée à droite, elle prêche depuis toujours les vertus de la valeur travail. Elle ne commence à enseigner qu'au milieu des années quatre-vingt, autour de l'âge de 30 ans, mais ne s'est jamais imaginée mère au foyer oisive entretenue par un mari banquier. «J'ai travaillé, je ne me serais pas vue ne pas le faire», dit-elle. Dans sa jeunesse, elle connaît quelques petits boulots alimentaires, qui ne la transcendent pas. Au début de sa relation avec André-Louis Auzière, elle est brièvement représentante pour Renault à Paris. Puis elle officie deux ans comme attachée de presse de la chambre de commerce de la région Nord-Pas-de-Calais, expérience dont elle garde une connaissance sommaire des rouages de la communication. Cela ne lui plaît guère. Électron libre, elle ne veut pas de patron.

C'est l'une des raisons qui la poussent vers l'enseignement, une passion, un «éblouissement» dès les premiers cours qu'elle dispense à Lucie-Berger, établissement strasbourgeois. Si elle n'était pas devenue professeure, elle aurait «monté sa boîte», leur fantasme à tous les deux, comme ils avaient commencé à le faire à l'été 2014. Brigitte Macron a cette phrase, qui résume son rapport à l'argent : « Si les profs étaient mieux payés, on pourrait vraiment dire que c'est le plus beau métier du monde[1]. » Elle est très fière de ses enfants Sébastien, Laurence et Tiphaine, qui sont respectivement ingénieur, cardiologue et avocate.

La première dame coche toutes les cases de la bourgeoisie, au sens où l'entend la sociologue Monique Pinçon-Charlot : « La bourgeoise cumule quatre formes de richesses – capital scolaire, culturel, social, économique –, auxquelles vient s'ajouter le capital symbolique, celui du nom[2]. » En l'occurrence, celui d'un président de la République.

De l'aveu de certains de ses proches, bien qu'elle se méfie du confort ouaté de l'Élysée, Brigitte Macron est à l'aise dans cette vie, en maîtresse de maison habituée à donner des ordres. « Ils aiment être servis. Ce ne sont pas des aristocrates, plutôt des gens proches du peuple, mais du peuple qui les sert. Ils ont un côté Thénardier », étrille une ancienne connaissance du couple.

L'Élysée entretient à dessein le mythe, certes largement fondé, de leur goût pour les Courtepaille et cordons-bleus des aires d'autoroute, mais les Macron ne détestent pas les établissements haut de gamme. Une à deux fois par semaine, si l'actualité

---

1. Anne Fulda, *Emmanuel Macron, un jeune homme si parfait. Le vrai visage du nouveau président*, Plon, 2017.
2. Citée dans *Le Figaro Madame*, « Les nouveaux codes de la bourgeoisie », juillet 2007.

le leur permet, ils s'offrent discrètement une bulle de bonheur, dans un restaurant parisien. Ils aiment s'encanailler dans les bars à vins chic de Saint-Germain-des-Prés, où l'on picore de la chiffonnade de jambon accompagnée d'un grand cru à la robe rubis. Ces romantiques apprécient les cadres feutrés, aux teintes rouges et noires, les lumières tamisées et les fauteuils velours. Ils ont conservé leurs habitudes à La Rotonde, réservent chez Da Rosa ou, plus exotique, chez Lily Wang, table asiatique à lampions avec vue imprenable sur les Invalides et addition salée. À leurs frais, cela va de soi.

Car la première dame met un point d'honneur à ce qu'on ne puisse en aucun cas l'accuser de dépenser un centime d'euro injustifié de l'argent des Français.

Croquettes et taxe d'habitation

Elle a été échaudée par le tollé autour du renouvellement de la vaisselle de l'Élysée. Dès son arrivée, chargée de l'organisation des dîners d'État, la première dame découvre, stupéfaite, que la porcelaine dressée dans la salle des fêtes pour les grandes occasions est toute dépareillée. Des assiettes, soucoupes et tasses à liseré or sont fêlées, ébréchées. Peintures et dorures ont passé, contraignant les services du Palais à mixer les services de style différent pour masquer les outrages du temps. « Ça l'a choquée de voir la vaisselle comme ça », raconte un confident.

L'intendance a obtenu le feu vert du chef de l'État et la sollicite à son tour, car un jury est chargé d'imaginer le motif du nouveau service « Bleu Élysée » commandé à la Manufacture de Sèvres. La facture, 500 000 euros selon *Le Canard enchaîné*, fait grand bruit. À son vif agacement : « La vaisselle, on ne va pas l'emmener au Touquet ! »

Comme François Hollande, très soucieux des deniers publics, les Macron sortent le chéquier pour régler leurs dépenses privées, du moins la plupart. La première dame veille à ce qu'ils paient leurs frais personnels. S'ils ne versent pas de loyer pour les appartements privés de l'Élysée – car il s'agit selon la présidence d'une « nécessité absolue de service » –, ils déboursent eux-mêmes les frais de courses de ce logement de fonction, du tube de dentifrice aux croquettes de Nemo. Depuis la rentrée 2018, ils acquittent aussi une taxe d'habitation. Lorsque des membres de leur famille leur rendent visite, une facture leur est adressée par les services du Palais sur la base d'un forfait. Ils ont ainsi réglé les frais occasionnés par la visite de leurs enfants et petits-enfants au fort de Brégançon à l'été 2018. Si cela semble être la moindre des choses en ces temps de restrictions budgétaires et de fortes tensions sur le pouvoir d'achat, ce ne fut hélas pas le cas de nombre de leurs prédécesseurs, qui ont mené grand train au frais de l'État et des Français. « Combien de trucs elle a acheté sur ses deniers personnels ! Des fois, je lui dis : “Mais pourquoi c'est toi qui paies,

Brigitte ?" Elle me répond : "On ne veut pas d'histoires" », assure l'un de ses grands complices.

Il en va de même lorsque le couple s'offre une escapade privée. Quand ils ont célébré les fêtes de Noël 2017 en famille dans un gîte quatre étoiles près du château de Chambord, c'est elle qui, redoutant le procès en dérive monarchique, a insisté pour qu'ils règlent chaque dépense. Comme pour leurs séjours chaque automne à Honfleur à La Ferme Saint-Siméon, où ils ont leurs habitudes : cela fait vingt ans qu'ils viennent séjourner dans la cité autour du 1er novembre. Une douce réminiscence des fastueuses années Rothschild, lorsque personne n'auscultait leurs finances. C'est elle qui a incité son époux, physiquement éprouvé par ses premiers mois de présidence, à récupérer cinq jours, en 2018, dans ce Relais & Châteaux avec vue sur l'estuaire de la Seine, table gastronomique, spa et piscine chauffée. Un manoir typiquement normand avec façades à colombages et roseraie, classé cinq étoiles. À leurs frais, là encore.

Le geste est avant tout symbolique, pour acheter la paix sociale. Car les Macron ne règlent pas, loin s'en faut, la totalité des dépenses liées à leurs déplacements. À commencer par celles – élevées, on l'a vu – occasionnées pour assurer leur sécurité. Et lorsqu'ils utilisent les avions et hélicoptères de la République pour leurs besoins personnels – une quasi-obligation imposée par les services chargés de leur protection, en raison des menaces –, la somme qu'ils remboursent, indexée sur le tarif d'un vol commercial, peut sembler dérisoire, sans commune mesure avec le coût réel engagé. Une heure de Falcon 7X se chiffre 5 000 à 6 000 euros.

19

La gloire

Dans les quartiers branchés de la capitale, on croise parfois de pimpantes quadragénaires arborant fièrement à l'épaule un petit sac en coton floqué de son prénom. *Brigitte*, comme un signe de ralliement, une revanche après toutes les vexations. À son corps défendant, la première dame est devenue pour bien des femmes une icône. Mieux, un phénomène de société, qui leur a rendu leur dignité. Les voilà libres de dépasser leurs complexes, d'assumer le temps qui passe, à l'aise dans la maturité. Elles relèvent la tête après s'être entendu seriner durant des décennies la pire des mélodies : « Mignonne, allons voir si la rose [...]. Cueillez votre jeunesse. Comme à cette fleur, la vieillesse fera ternir votre beauté », susurrait déjà le poète Ronsard au XVIe siècle. Comme si une date de péremption était inscrite sur le cadran de leur horloge biologique. À l'heure où elles deviennent mère ou grand-mère, nombre de femmes revendiquent désormais le droit de séduire et d'être séduites, de s'habiller à leur guise, sans être déconsidérées, reléguées en deuxième ligue de la féminité.

En pleine déferlante #MeToo, avec son parcours hors norme, Brigitte Macron marque son temps.

« Elle porte quelque chose de plus grand qu'elle, la dignité des femmes, y compris les femmes dites seniors. Un homme senior, c'est chic avec les tempes argentées. Une femme senior, c'est perçu autrement. Elle montre le contraire avec éclat. Elle fait du bien à toutes les femmes de plus de 45 ans », salue la ministre Muriel Pénicaud. C'est une icône dans toutes les générations. » Un ministre achève : « La cougar bienveillante c'est un nouveau concept, maintenant c'est romanesque ! »

Cougar Gang

Son modèle inspire, au-delà des frontières de l'Hexagone. C'est ce mot, « *whip* », que crée l'écrivaine anglaise Bibi Lynch dans la langue de Shakespeare pour décrire sa féminité triomphante, à l'instar de Madonna ou de l'actrice Demi Moore : « *Woman who is hot, intelligent and in her prime* », pour qualifier une femme sexy, intelligente et dans la fleur de l'âge. C'est son visage imprimé à la une de *The Economist 1843*, l'édition mensuelle de l'hebdomadaire britannique du même nom, barré de ce titre : « Madame Macron, la maturité. Un nouveau modèle pour les femmes françaises ». En Finlande, on applaudit son « grand charisme ». Outre-Atlantique, *The New York Times* l'érige en porte-drapeau : « Elle incarne une revanche face à l'habitude prise par les hommes politiques, qui flattent leur ego, d'arborer des compagnes plus jeunes et transparentes », encense le quotidien américain. Dans les pas de la toute-puissante Diane de Poitiers, préceptrice et grand amour du roi Henri II, de vingt ans son cadet, au XVIe siècle, elle incarne la Française à la féminité conquérante.

Le phénomène dépasse la barrière des sexes. Cette femme qui a transgressé tous les codes de son environnement inspire aussi ceux qui veulent briser leurs chaînes. Les discriminés de toutes sortes qui rêvent de quitter le chemin tout tracé de leur existence pour se forger un destin. Au point, qui l'eût imaginé, de se hisser au rang de personnage culte dans l'imaginaire hip-hop.

C'est le rappeur hardcore Kalash Criminel, originaire de Sevran en Seine-Saint-Denis, qui diffuse sur YouTube un clip intitulé *Cougar Gang* au refrain provocant. « J'suis bon qu'à niquer des mères. J'baise que des mères comme Macron. Cougar ! », défie le chanteur cagoulé, en tenue camouflage, derrière un pupitre dans un décor censé imiter l'Élysée. « C'est une déclaration d'amour envers les cougars, tout simplement. Je trouve que ce sont des femmes qui méritent beaucoup d'amour et il faut leur en donner, comme Macron fait avec Brigitte[1] », se défend l'auteur, trop heureux du coup de projecteur.

Au-delà de l'hommage très particulier, la « First Lady » s'invite ainsi dans une culture dont elle n'aurait jamais songé devenir une égérie au même titre

1. Entretien au site Melty, novembre 2018.

que Jennifer Lopez ou Beyoncé. Est-ce l'effet «vu à la télé»? Elle a eu l'occasion de tester grandeur nature sa popularité en banlieue. Marraine du match caritatif du Variétés Club de France, qui oppose, au profit de l'autisme, d'anciennes gloires du foot comme Robert Pirès, Alain Giresse et Christian Karembeu à des parlementaires, Brigitte Macron se retrouve à la rentrée 2018 à taper dans le ballon rond – en baskets Vuitton – pour donner le coup d'envoi avec Michel Platini au Stade de France. Pas franchement à l'aise. Le football, ce n'est pas son monde. La périphérie de Paris, encore moins. Dans les gradins, des dizaines d'enfants du département lui réclament des selfies et cherchent à l'agripper, lui sautant dessus dans un élan de joie. Alors qu'elle regagne les vestiaires, ils entonnent soudain en chœur son prénom : «Brigitte! Brigitte!» Émue, elle ne s'y attendait pas. Pourquoi l'acclament-ils? Le ministre de l'Éducation, Jean-Michel Blanquer, décrypte cet engouement : «C'est quelqu'un de profondément gentil. Il n'y a rien de fabriqué. Les jeunes le voient comme ça.»

Tout cela la dépasse. La première dame sent bien qu'elle incarne quelque chose de plus grand qu'elle. Lors d'une soirée à l'Élysée, un réalisateur français lui murmure vouloir consacrer un film à sa vie. Des sites Internet testent des noms de célèbres actrices pour l'incarner sur grand écran, comme Nathalie Baye ou Sharon Stone. «Jane Fonda, avec vingt ans de moins. Ou Meryl Streep», suggère, malicieuse, l'ancienne ministre de la Culture Françoise Nyssen.

« Brigitte se protège pour ne pas perdre le sens des réalités. Sinon elle deviendrait Isabelle Adjani... », plaisante – à peine – l'un de ses proches. Sa cote de popularité dans les sondages, qui fléchit à l'unisson de celle de son mari, se charge au besoin de la ramener sur terre.

Strass et paillettes

Avec la notoriété sont venus les people. Une autre forme de revanche sociale pour la professeure d'Amiens, un temps mise au ban de la bonne société. Quel chemin parcouru avant de se retrouver autour du gâteau d'anniversaire de Line Renaud sur une péniche amarrée au pied de la tour Eiffel, vedette parmi les VIP conviés à cet événement ultra-mondain à l'été 2018. Massé au pied de la scène avec vue sur les flots, un parterre de célébrités. Jean Reno, Dany Boon, Anne Hidalgo, Mimie Mathy, Laurent Gerra, Patricia Kaas, Muriel Robin, Michèle Laroque, Gilles Bouleau ou Claire Chazal écoutent l'ancienne meneuse de revue revisiter sa vie, de Paris à Las Vegas. Mais un détail cloche, on frôle l'impair diplomatique. Emportée par la foule et l'émotion, l'heureuse nonagénaire manque d'oublier de remercier l'épouse du président qui lui fait pourtant l'honneur de sa présence. Voyant l'incident se profiler, Claude Chirac fend la foule pour lui tirer la manche et lui rafraîchir la mémoire : « Line ! Qu'est-ce que tu dis à Madame Macron ? » Toute la salle entend et rit de bon cœur. L'assemblée écoute aussi, d'une oreille distraite, le message vidéo adressé par le chef de l'État, délicate attention mais trop solennelle, en costume-cravate devant le drapeau.

L'ancienne vedette du music-hall est une bonne amie du couple présidentiel, pour ne pas dire sa bonne fée. « C'est la grand-mère qu'Emmanuel a perdue. Ils sont du même coin, ils ont en commun cet accent du Nord », expose un ami commun. Ils lui doivent tant… C'est elle qui leur a offert leur ticket d'entrée dans le monde bling-bling du show-business, qui a été pour eux un puissant démultiplicateur de notoriété au début de la campagne. « Je les ai rencontrés lors d'un dîner chez des amis. J'étais assise à côté de Brigitte, et Emmanuel était en face de moi, donc je pouvais parler à l'un et à l'autre. J'étais presque subjuguée par cette femme, sa drôlerie, son érudition, son humour simple, comme si je l'avais toujours connue. À la fin du dîner, j'ai dit à Emmanuel : "Vous serez le prochain président !" Il a souri », raconte Line Renaud. C'est encore elle qui a souhaité que tous deux soient conviés pour ses 88 ans. La photo-souvenir avec le couple Hallyday, Vanessa Paradis, Muriel Robin ou Stéphane Bern avait fait du bruit, à quelques semaines de la déclaration de candidature du futur président.

Line Renaud leur a présenté le Taulier, le Graal, la consécration pour qui veut conquérir le cœur des Français. Un soir de dîner au ministère de l'Économie à l'automne 2015, tous trois partent à pied au concert du chanteur à Bercy, devenu l'AccorHotels Arena. Dans les gradins, Brigitte Macron, en robe noire années quatre-vingt, et son mari, en manches de chemise, se déhanchent et chantent à tue-tête. « Emmanuel connaît toutes les chansons de Johnny, c'est un grand fan, raconte Line Renaud qui, le tour de chant achevé, les conduit en coulisses. C'est là, dans les loges, qu'ils ont fait connaissance. » Entre les Macron et les Hallyday, le courant passe. Dans les mois qui précèdent la disparition de l'idole des jeunes, Brigitte Macron est très présente aux côtés de Laetitia Hallyday. Lorsqu'il rend son dernier souffle, c'est elle que l'épouse du rockeur appelle la première, avant même de prévenir ses deux grands enfants, à 2 heures du matin. La femme du président vient à Marnes-la-Coquette se recueillir sur la dépouille et réconforter la jeune veuve. Elle va aussi œuvrer à réconcilier les deux clans, qui déjà se fissurent, avant la cérémonie en l'église de la Madeleine. David Hallyday et Laura Smet ne veulent pas d'hommage national, et entendent se réapproprier leur père. Elle les reçoit à l'Élysée, les convainc de participer.

Mais, lorsque la guerre pour l'héritage démarre, les deux clans Hallyday mettent sciemment du champ avec le couple Macron. « Il y a eu une espèce de pudeur de ne pas les mêler à ça de la part des deux camps. Ce sont des affaires de famille. Ça s'est arrêté là », confie un proche de la première dame.

Si des stars internationales comme Angelina Jolie ou l'inabordable Anna Wintour lui demandent audience dès qu'elles passent à Paris, si elle croise à l'Élysée les chanteurs Rihanna et Bono, la première dame reste une midinette, fidèle aux années yé-yé. Aux célébrités mondiales, elle préfère les vedettes franchouillardes, un brin passées de mode, qui ont peuplé les années quatre-vingt et quatre-vingt-dix.

L'animateur Bernard Montiel est l'un de ses meilleurs amis, toujours à ses côtés en cas de coup dur. Ils sont du même mois et de la même génération, à quatre ans près. Pas une semaine sans qu'ils ne se voient ou s'appellent. Leur rencontre dit tout du côté groupie de Brigitte Macron. Un jour qu'elle le repère dans le carré VIP d'un concert, elle traverse le public pour venir à sa hauteur : « Oh, Bernard Montiel, vous êtes tellement sympathique ! Vous êtes encore plus beau en vrai ! Emmanuel, viens, il y a Bernard Montiel ! Donnez-moi votre numéro. » Ils ne se sont plus quittés.

Seule une infime poignée de people peuvent se targuer d'une telle proximité, comme l'écrivain Philippe Besson et, dans une moindre mesure, Stéphane Bern. Impopularité oblige, le temps des paillettes et des strass s'est depuis envolé.

Moi, présidente

Que faire du capital notoriété qu'elle a engrangé ? Gérard Collomb a sa petite idée. Un soir de dîner politique à l'Élysée, il teste son nom sur l'air de la boutade, tandis que la tablée phosphore en vain sur le candidat idoine pour porter les couleurs d'En Marche ! aux élections européennes de mi-mandat. « Qu'est-ce que vous vous embêtez à aller chercher une tête de liste ? Il y a Brigitte ! Elle est extraordinairement populaire. Vous la mettez sur une élection, elle vous rajoute des points », claironne celui qui est alors ministre. Il voit plus loin, jusqu'à la prochaine présidentielle. Et si le chef de l'État n'était pas en situation ou ne souhaitait pas se représenter ? « En 2022, si ça ne marche pas, on met Brigitte ! » Un trait d'esprit, bien entendu.

Quoique. Pour ses 65 ans, des amis facétieux lui ont offert l'intégrale de la série américaine *House of Cards*, qui narre l'ascension d'un couple arriviste prêt à tout pour rafler la Maison Blanche et s'y maintenir. Dans l'ultime saison, la première dame, campée par la sculpturale Robin Wright, évince son époux et s'installe dans le fauteuil de présidente…

Brigitte Macron n'y songe pas un instant, jure-t-elle, pas plus qu'elle ne se présentera à une élection locale ni ne soutiendra publiquement des candidats aux européennes de 2019 et aux municipales de 2020. Quand elle découvre que la marque très sélecte de vêtements Eleven Paris vend des sweats et tee-shirts *Brigitte 2020*, avec le code graphique des bannières électorales américaines, entretenant le fantasme de sa candidature à Paris, elle sourit. « Chez Brigitte, il n'y a aucune trace d'ambition personnelle. Les deux ont une ambition collective, pour la France et pour l'Europe », assure l'ancien ministre chiraquien Jean-Paul Delevoye.

Elle a déjà brigué, pourtant, les faveurs du suffrage universel. C'était pour les municipales de 1989, sur la liste « Truchtersheim demain », sans étiquette mais marquée à droite. Mme Auzière, à l'époque, a 36 ans et trois enfants. Avec d'autres notables, fraîchement arrivés comme elle dans la commune, elle veut bousculer l'ordre établi, faire bouger ce village qui végète[1]. Toute ressemblance avec la campagne de son futur mari bien des années plus tard... L'aventure ne rencontre pas le même écho dans les urnes et reste sans lendemain.

« Pour la France »

Au moment de franchir la lourde grille de l'Élysée le jour de la passation de pouvoir avec François Hollande, a-t-elle frémi en songeant que cette expérience pouvait durer dix ans ? Sourcille-t-elle aujourd'hui à l'idée que son mari, bien que très impopulaire, soit peut-être réélu ? Jamais elle n'évoque le sujet. Comme un tabou, une superstition. Ses amis le garantissent, « elle n'est pas du tout accro au pouvoir ». « Cela se décidera dans l'alchimie secrète de leur couple », élude Richard Ferrand, qui constate qu'aucun président n'a été réélu depuis l'instauration du quinquennat. C'est l'un de leurs plus grands mystères. Impossible d'imaginer qu'ils n'aient jamais évoqué ensemble cette question au moment de se lancer. Si Emmanuel Macron venait à être reconduit, pure hypothèse à ce stade, elle fêterait ses 74 ans au terme de son second mandat.

---

1. Enquête du bimensuel *Society*, mai 2017.

Ils n'ont pas le même rapport au temps qui passe. Il se sent invincible, elle se sait vulnérable. Elle a atteint un âge où chaque jour est une vie et où, professe-t-elle, « chaque jour sans rire est un jour perdu ». Lui est à ce pic de son existence où l'on bâtit encore son destin et où l'on peut gâcher sans préjudice quelques années. « Quand vous ratez des choses à 65 ans, c'est difficile à rattraper. À 40 ans, si vous perdez trois ou quatre ans, ce n'est pas très grave. Cette horloge du bien-être et du bonheur, ça compte », philosophe un proche conseiller.

Elle est à l'heure de sa vie où l'on revisite son existence, avec une once de nostalgie. En marge de leur grand périple dans le Nord et l'Est, elle s'octroie ainsi « un jour de congé » pour revenir à Truchtersheim dans le Kochersberg, sur les traces de son passé. Rue des Coquelicots, elle retrouve la demeure qu'elle louait avec André-Louis Auzière et leurs trois enfants. « J'ai l'impression de rentrer un petit peu à la maison », confie-t-elle sur place. À sa demande, de vieilles connaissances ont été rassemblées : la nounou de sa fille Tiphaine, le propriétaire de la maison, le pharmacien… Elle les a tous invités à venir lui rendre visite à l'Élysée.

Le plus âgé des deux n'est pourtant pas celui qu'on croit. Les apparences sont trompeuses. Le président n'est pas ce fringant quadragénaire, elle n'est pas cette élégante sexagénaire. Aux tréfonds de leur âme, c'est tout l'inverse. Elle pétille, aime la vie, est bien plus moderne que lui. Brigitte Macron a toujours vécu, indifférente aux écarts d'âge, petite dernière d'une fratrie de six enfants dont le père, Jean, qui l'aimait tendrement, avait 44 ans à sa naissance, et son frère aîné, Jean-Claude, vingt de plus qu'elle.

« Emmanuel était déjà vieux quand il avait 20 ans », l'égratigne l'un de ses anciens camarades. Le président s'est toujours entouré d'amis qui avaient une, voire deux générations de plus que lui. Le jour de son mariage avec Brigitte, en 2007, beaucoup ont été stupéfaits de l'entendre présenter l'un de ses deux témoins, le millionnaire Henry Hermand, de cinquante-trois ans son aîné, comme son « meilleur ami ». Il aime s'entourer de tempes grises et sages, de Michel Rocard à Jacques Attali. « Il a beaucoup d'amis plus âgés que lui, mais aucun plus jeune », constate Gaspard Gantzer, ancien directeur de la communication de François Hollande, qui l'a croisé à l'ENA.

Un an et demi après son élection, les cheveux d'Emmanuel Macron grisonnent déjà, son visage est prématurément vieilli, à l'instar d'un Barack Obama à la chevelure précocement blanchie. Le président maigrit à vue d'œil, émacié. Son corps s'est asséché, ses traits ont durci. Bien sûr, la première dame s'en inquiète. Mais elle en rit beaucoup, aussi. Un jour, un ami vient la voir et s'en ouvre devant elle : « Dis, Brigitte, tu ne trouves pas qu'il est vraiment crevé ? » La première dame, contre toute attente, éclate de rire : « Oh, tu sais, moi, j'y vois un avantage, c'est qu'il vieillit plus vite que prévu. Il est en train de me rattraper ! » Le président débarque, les aperçoit, hilares, et se fait répéter la bonne blague : « Vous êtes des enfoirés, vous ! »

Plus que l'âge, c'est la mort qui la hante. « Joyeuse angoissée », elle se force à sourire pour oublier sa propre fin et celle des siens. Un rapport traumatique au trépas qui remonte à son éducation chez les sœurs, qui lui ont dépeint les flammes du royaume des ombres. Cette vision d'horreur la submerge un jour, en marge d'une croisière sur le Gange, lors d'un voyage officiel en Inde. Les crémations, interrompues par les autorités à l'aller, ont repris sur le chemin du retour. C'est l'enfer de Dante, avec ces chiens dévorant des restes de cadavres arrachés. Choquée, elle repense à son enfance, à son éducation catholique : « Cette image, c'est ce qu'on m'a décrit de l'enfer... » Sa première expérience du deuil rejaillit. Petite fille de 8 ans, elle perd sa sœur aînée enceinte, tuée dans un accident de voiture avec son mari. Un an plus tard, c'est une nièce de 6 ans qui succombe à une banale appendicite. Il ne se passe pas un jour sans qu'elle y songe. À la main, elle porte toujours l'alliance de sa sœur. Son frère aîné, Jean-Claude, disparaît à son tour, à l'automne 2018. Âgé de 85 ans, il avait peu à peu pris la place du père dans la fratrie Trogneux. Depuis des mois, sa santé déclinait. En lien constant avec ses médecins et sa belle-sœur à Amiens, Brigitte Macron faisait de discrets allers-retours à l'hôpital, pour être près de lui, jusqu'à la fin.

Chaque jour, elle tremble pour sa famille, pour son mari. Lors des commémorations du centenaire de l'Armistice, on l'informe que des sympathisants d'extrême droite ont été interpellés pour avoir fomenté un projet d'attentat contre le président. L'un des conjurés envisageait de le poignarder au couteau à lame de céramique. Les services de sécurité de l'Élysée lui mettent aussi en main les lettres de menaces proférées contre les siens : « On va tous vous crever, les Macron. » Elle veut tout voir, tout savoir. En plein soulèvement des « gilets jaunes », le couple est alerté un week-end sur la présence d'un petit groupe de protestataires qui tente, en vain, de s'approcher de la résidence de la Lanterne. « Il y a une telle haine contre lui, elle trouve ça dur... », s'effraie un proche, épouvanté par les appels à décapiter le chef de l'État et à envahir l'Élysée qui fleurissent alors sur les réseaux sociaux et chaînes d'information en continu. Brigitte Macron ne tremble pas pour elle-même. À l'exception d'une fois, à l'époque de Bercy. Un homme l'a insultée dans un train de banlieue, alors qu'elle se rendait chez l'une de ses filles. À l'époque, elle n'avait pas de garde du corps. Et s'il lui arrivait malheur, à elle? « Le président serait désarticulé », redoute un conseiller.

Malgré les menaces, les quolibets, les jalousies, quoiqu'il décide pour 2022, elle le suivra, garantissent ceux qui la connaissent. Ils dressent le portrait idéal d'une femme « patriote » qui fera son devoir d'épouse, et ne sommera jamais son mari d'arrêter la politique. « Elle est forte de cet amour qui s'est construit envers et contre tout. Elle sera toujours là pour lui et pour la France », clame Line Renaud. « Elle sait que c'est un temps qu'elle donne à son pays, pour l'aider, l'accompagner », affirme Françoise Nyssen qui la compare volontiers à sa grand-mère, qui a quitté la Suède neutre du haut de ses vingt printemps en pleine Première Guerre mondiale afin de soigner des soldats blessés en France : « Brigitte est de cette trempe-là ! »

« C'est une forme de sacerdoce, de dévouement. Elle est heureuse pour la France qu'il soit président. Elle a conscience que personne ne peut prendre la suite à ce stade », applaudit Marlène Schiappa, en tête des groupies. « Il est parti pour quinze ans. Deux mandats de président de la République, puis l'aboutissement normal d'une réussite comme la sienne serait de devenir le George Washington de l'Europe, l'accoucheur des États-Unis d'Europe. C'est son ultime destin, s'emballe même un ardent soutien du président. S'il a un destin historique, c'est de redresser la France, puis l'Europe. Tony Blair et Nicolas Sarkozy en ont fantasmé. Lui aussi a cela derrière la tête. »

Quoi qu'il advienne, que ce soit au terme de son mandat en 2022, cinq ans plus tard, ou à la date que l'histoire dictera, Brigitte et Emmanuel Macron se sont fait une promesse : quitter l'Élysée main dans la main. Quel sera alors leur quotidien ? Ils n'en savent rien, aspirent à être heureux en famille, à écumer les bars à vins. Quant à la toute fin, la leur, ils y ont déjà réfléchi. Leur souhait : demeurer ensemble, à tout jamais. Par-delà leurs différences, par-delà les âges.

Épilogue

« Un jour, elle dira les choses, elle dira sa vérité », promet l'un de ses proches. Ou plutôt, elle l'écrira. Le soir, parfois le matin, la première dame couche sur le papier ses souvenirs et ses pensées. Elle se prête à cet exercice d'introspection depuis des années, avant même l'Élysée. Elle grave ces instants passés aux premières loges du pouvoir, qu'ils soient bons ou mauvais. Ses propres amis, qui n'ont jamais lu la moindre ligne de ces mémoires, surnomment ce mystérieux document « le petit journal ». Combien de secrets recèle ce témoignage inédit ? Le publiera-t-elle ? Elle y songe, à l'évidence.

Avant elle, Claude Pompidou, Danielle Mitterrand, Cécilia Attias et, bien sûr, Valérie Trierweiler[1] ont révélé les coulisses de leur vie au Palais, dans des ouvrages largement plébiscités par les Français. Carla Bruni-Sarkozy, qui conservait tous ses livrets

1. Claude Pompidou, *L'Élan du cœur. Propos et souvenirs*, Plon, 1997 ; Danielle Mitterrand, *Le Livre de ma mémoire*, Jean-Claude Gawsewitch, 2007 ; Cécilia Attias, *Une envie de vérité*, Flammarion, 2013 ; Valérie Trierweiler, *Merci pour ce moment*, Les Arènes, 2014.

de voyages officiels, plaisantait volontiers en racontant qu'elle finirait par dévoiler sa plongée dans les arcanes du protocole élyséen : « Je devrais faire le guide de Carla B ! » La référence ultime reste *Conversation*[1], le best-seller de Bernadette Chirac rédigé avec le journaliste Patrick de Carolis. Le calendrier de sortie, à six mois de l'élection présidentielle de 2002 à laquelle concourait son mari, n'avait rien d'un hasard. Entre les lignes de ses confidences, l'opération était éminemment politique.

De quoi inspirer Brigitte Macron dont la cote de sympathie, si elle a fléchi, pourrait constituer une chance pour son époux, s'il devait un jour se présenter à nouveau devant les Français.

Dans le calme de son bureau ou des appartements privés, le président écrit lui aussi. Il s'est longtemps rêvé écrivain. En Argentine, lors d'une visite officielle, Emmanuel Macron s'est laissé aller à quelques confidences, alors qu'il arpentait les allées d'une spectaculaire librairie ouverte dans un ancien théâtre d'opérette. Publiera-t-il lui aussi, une fois son mandat achevé ? « Une fois que j'aurai fini avec tout ça, je reviendrai à la vérité… », répond-il, énigmatique.

Peut-être poursuivront-ils leur vie tel un couple d'écrivains, comme à leurs débuts, aux douces heures où ils imaginaient des personnages pour briller sur les planches du lycée La Providence. C'est ainsi, après tout, que tout a commencé.

1. Bernadette Chirac (avec Patrick de Carolis), *Conversation*, Plon, 2001.

Remerciements

Merci aux élus, ministres de la République, conseillers de l'ombre et attitrés, amis intimes et artistes, qui nous ont accordé temps et confiance pour nous aider à percer les mystères de cette femme si secrète.

Merci à tous nos proches pour leurs encouragements, leur compréhension et leur soutien de chaque instant, si précieux dans ces longs mois d'investigation.

Merci à notre éditeur pour son enthousiasme, ses conseils avisés et les sourires partagés.

Merci à nos responsables et collègues du *Parisien-Aujourd'hui en France*, sans qui cet ouvrage n'aurait pu voir le jour.

Et merci, bien sûr, à Brigitte Macron, qui a accepté de répondre à nos questions, même les plus intrusives, sans chercher à entraver notre enquête.

Table

QUATRIÈME PARTIE
Première dame

CINQUIÈME PARTIE
Le rêve d'une vie